KB195396

어느 멋진 날

어느 멋진 날

초판 1쇄 인쇄 | 2022년 5월 27일
초판 1쇄 발행 | 2022년 6월 3일

지은이 | 정명섭·김이환·범유진·홍선주
펴낸이 | 박영욱
펴낸곳 | 북오션

경영지원 | 서정희
편　집 | 고은경·장정희
마케팅 | 최석진
디자인 | 민영선·임진형
SNS마케팅 | 박현빈·박가빈

주　소 | 서울시 마포구 월드컵로 14길 62 북오션빌딩
이메일 | bookocean@naver.com
네이버포스트 | post.naver.com/bookocean
페이스북 | facebook.com/bookocean.book
인스타그램 | instagram.com/bookocean777
유튜브 | 쏠쏠TV· 쏠쏠라이프TV
전　화 | 편집문의: 02-325-9172　영업문의: 02-322-6709
팩　스 | 02-3143-3964

출판신고번호 | 제 2007-000197호

ISBN 978-89-6799-680-2 (43810)

*이 책은 (주)북오션이 저작권자와의 계약에 따라 발행한 것이므로 내용의 일부 또는 전부를 이용하려면 반드시 북오션의 서면 동의를 받아야 합니다.
*책값은 뒤표지에 있습니다.
*잘못 만들어진 책은 구입하신 서점에서 교환해 드립니다.

어느
멋진
날
정명섭
김이환
범유진
홍선주

Bookocean

차례

겨울이 죽었다

범유진

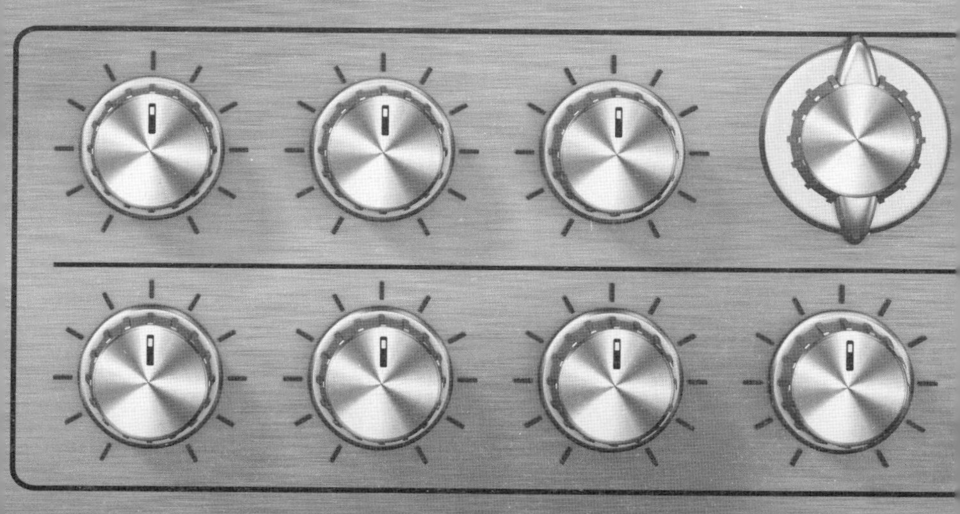

겨울이 죽었다.

이른 저녁을 먹고 습관처럼 집을 나섰다. 집에서 자주 가는 카페까지 걸어서 15분. 좁은 골목길의 끝을 빠져나오면 십자 모양의 교차로가 나온다. 왼쪽 횡단보도를 건너면 중학교로, 오른쪽 횡단보도를 건너면 주택가 입구가 있는 도로로 이어진다. 자전거 도로가 함께 있는, 넓은 도로다. 횡단보도 앞에 서 있는 동안 자전거 세 대가 내 등 뒤를 스쳐 지나갔다.

'앞으로는 나도 자전거를 타볼까.'

이제껏 자전거를 타지 않았던 건 겨울 때문이었다. 바퀴 달린 것은 모두 다 무서워했던 겨울. 아무래도 면허 따기는 글렀다면서 웃던 겨울. 겨울이 무서워한 건 그것만은 아니었다. 풍선 터지는 소리를 무서워했고, 높은 곳을 무서워해서 놀이공원에 가면 회전목마만 탔다. 겁이 많았던 겨울, 내 쌍둥이 동생.

자전거 도로가 함께인 도로는 학원가가 있는 상가 단지까지 쭉 이어진다. 프랜차이즈 카페와 식당이 즐비한 건물들 사이에, 서점 하나가 잘못 끼워 넣은 블록처럼 불룩 튀어나와 있다. 소설책보다는 문제집이 많이 팔리고 벽에는 아이돌 브로마이드가 붙어 있는 곳이다. 겨울이 되면 그 서점 앞에 붕어빵 포장마차가 생긴다. 서점의 주인아저씨가 겨울마다 부업으로 붕어빵을 구워서 판다. 3개에 천 원. 서점에서 책을 사면 덤으로 하나를 더 주기도 한다.

고등학생이 된 후, 나와 겨울은 저녁을 먹고 매일 밤 산책을 했다. 같은 중학교에 다니던 때와는 다르게, 그렇게라도 하지 않으면 서로 이야기를 나눌 시간이 많지 않았다. 일반 고등학교에 진학한 나와 특성화 고등학교에 진학한 겨울. 나와 겨울의 고등학교 생활은 닮은 듯 달랐고, 나는 내가 알지 못하는 겨울의 조각이 많아지는 것이 두려웠다.

내 고등학교 생활은 중학교 때와 별반 다른 것이 없었다. 책상에 앉아 졸면서 교과서를 들여다봤고, 학원에 갔고, 문제

집을 풀었다. 1학년에서 2학년, 3학년이 될수록 대학에 대한 압박감은 커져갔지만 어느 학교를, 어떤 과를, 왜 가야 하는지 알 수 없는 날들이 이어졌다. 나에게 미래란 그저 수능을 잘 보고, 대학에 가는 것 그뿐이었다. 그 이상의 미래는 도저히 상상할 수 없었고, 상상이 되지도 않았다.

그러나 겨울은 달랐다. 겨울은 고등학교 1학년 여름방학이 끝나갈 무렵부터 대학 진학반을 선택할 것인지, 취업반으로 갈 것인지를 고민했다. 수십 개의 팸플릿을 보면서 고민하는 겨울의 옆모습이 때로 무척 낯설게 느껴졌다. 3학년이 되고 겨울은 친구와 통화를 할 때면 파견 신청서며 급여, 세금 제외 등의 단어를 아무렇지 않게 말했다. 내게는 어렵기만 한 어른의 단어였다. 나는 겨울이 나보다 빨리 어른이 되면 어쩌나 싶었다. 그래서 산책할 때면 겨울의 손을 꽉 잡고 내 점퍼 주머니 안에 밀어 넣었다.

앞서 가지 마. 함께 어른이 되어야 해. 우린 쌍둥이잖아.

한 번도 입 밖으로 꺼내지 못했던 그 간절함을 겨울은 알았을까. 몰랐을 것이다. 알았다면, 그랬을 리가 없다.

카페에서 커피 한 잔을 주문한다. 커피가 나오기를 기다리면서, 카페 카운터에 붙은 [수험표 제시하면 모든 음료 50% 할인] 이라고 쓰인 A4 용지의 귀퉁이를 구겼다. 카페뿐만이 아니다. 햄버거 가게의 유리벽에도, 아이스크림 가게에도, 화장품 가게와 안경점에도 비슷한 문구들이 저마다 자리를 차지하고 붙어 있다. 붉고 노란 글씨로 존재감을 뽐내는 글씨들. 매년 이랬다. 상가의 5, 6층 대부분을 학원이 차지하고 있는 이 거리에서 수능은 크리스마스보다 더 존재감을 뽐내는 행사였다. 11월 초부터 찹쌀떡과 엿과 손난로가 예쁘게 포장된 수능 패키지가 전시되었고, 수능 일주일 전부터 온갖 문구가 쓰인 응원 슬로건이 건물 벽에 붙었으며, 수능 이틀 전부터는 수험표 할인 이벤트 홍보가 크리스마스 장식처럼 곳곳을 장식했다.

중학생이었을 때, 나와 겨울은 이 무렵에 상가를 걸을 때마다 고민했다. 나중에, 나중에 수능을 보고 난 후 '수험표 할인'을 어디에 제일 먼저 쓸 것인가. 중학생에게 '수험표 할인'은 그 자체로 무척 근사한 단어였다. 대학을 간다는 건 어른이 된다는 것을 뜻했고, '수험표 할인'은 세상이 열아홉 살 모두에게 성인이 되었음을 축하하며 내미는 커다란 케이크처럼 여겨졌다. 나와 겨울은 둘 다 케이크를 예쁘게 잘라먹는 타입이었고, 그렇기에 첫 '수험표 할인'을 쓸 곳에 매년 순위를 매겼다. 부동의 1위는 언제나 비행기였다. 수능을 보고 바로 다음 날, 비행기를 타고 단둘이 여행을 가는 것. 그것은 나와 겨울의 위시 리스트였다.

일 년 전 이맘때에 이 거리를 산책하면서 나는 물었다.

"수능 다음날에 어디로 여행 갈까?"

일 년 앞으로 다가온 수능은 현실이었고 위시 리스트는 구체적인 계획이 되어야 했다. 고등학교 2학년 말, 나는 진로를 정하지 못한 채였다. 주변의 친구들 중에는 만창과를 가겠다며 미술 학원을 다니기 시작한 친구도 있었고, 교사가 되겠다며 입시요강을 알아보기 시작한 친구도 있었다. 친구들이 대학 이후의 미래를 계획할 때, 나만 여전히 그 너머를 바라보지 못하고 있는 듯했다. 담임은 "무조건 좋은 대학을 가. 역에서 노숙을 해도 서울대 출신이다, 하면 방송에서 취재를 나오는 게 현실이다." 라고 말할 뿐이었다. 그건 하고 싶은 것도 없는 열여덟 살, 그 한심한 존재의 불안을 달래는데 조금도 도움이 되지 않았다.

그 한심함을 지워내기 위해, 조금이라도 고3이 되는 것에 기대를 가지기 위해서는 겨울과의 계획이 필요했다. 수능이 끝난 다음날 떠날 나라를 정하는 건, 그 계획의 시작점이 될 터였다.

"나는 대만에 가보고 싶어."

나는 한껏 들뜬 목소리를 꾸며냈고, 겨울도 같은 들뜸을 되돌려 주기를 바랐다.

"대만 비행기 표 얼마쯤 하지? 돈 열심히 모아야겠네."

하지만 겨울의 대답은 차분했다. 그 차분함이, 내게 현실을 좀 보라고 타이르는 듯했다.

"할인 받으면 십만 원으로도 갈 수 있다고 했어. 애들이."

나도 현실을 모르는 게 아니라고 맞받아쳤다. 차가운 한숨이 겨울의 입에서 흘러나와 밤공기에 섞였다.

"나는 할인 못 받잖아. 수능 안 보니까."

그때 내가 뭐라고 대답했더라. 기억이 나지 않는다.

나는 커피를 손에 들고 왔던 길을 되돌아 걸었다. 색색의 수험표 할인이 붙은 가게 앞을 지나갈 때마다, 떠오르는 기억을 애써 아래로 밀어 넣었다. 기억나지 않는다는 건 거짓말이다. 기억하고 있다. 정말로 기억나지 않게 될 것 같으면, 매일 밤 공책에 깜지를 써서라도 기억할 것이다. 겨울의 기억을 일 그램이라도 잊어버리는 것을 참을 수 없기에, 기꺼이 그렇게 할 것이다. 그러나 커피를 손에 들고 혼자 걷는 이 때에, 그 기억을 떠올리는 것은 자해를 하는 것과 다름없었다. 기억 중에는 그런 것이 있다. 떠올리는 것만으로도 미세한 생채기를 남기는 것들. 겨울과의 기억 중 그런 것은 대체로 비슷한 결을 지니고 있다. 내가 일방적으로 겨울을 상처 준 대화다. 타인을 상처 준 기억이 나를 향한 칼날이 되어 돌아오는 건 왜 일까. 상대가 사라졌기 때문일까. 아니면 그 상대가 겨울이기 때문일까.

교복을 입은 한 무리의 아이들이 내 앞을 가로질러 상가 골목 안쪽으로 사라졌다. 나와 겨울이 다녔던 중학교의 교복이다. 발걸음을 늦추며 그들의 등을 눈으로 쫓았다. 매년 그랬듯이 서점 앞에 붕어빵 포장마차가 생겨나 있었다. 나는 멈춰서 포장마차를 둘러싼 아이들을 봤다. 검은 롱패딩을 입은 뒷모습은 모두가 비슷해 보인다. 나는 그들 사이에서 나와 겨울을 본다.

겨울은 붕어빵을 좋아했다. 입맛이 없다며 밥을 거를 때에도 붕어빵 두어 개는 너끈히 해치웠다. 날씨가 추울수록 맛있는 게 붕어빵이라면서 눈보라가 몰아칠 때 사러 나가기도 했다. 한번은 서점 아저씨가 붕어빵 포장마차를 열지 않은 날에 찾아가서, 유자차만 얻어 마시고 돌아온 적도 있었다.

올겨울에는 한 번도 붕어빵을 먹지 못했다. 앞으로도 먹지 않을 것이다. 겨울이 사라졌으니까. 나는 다시 걸음을 옮겼다. 횡단보도 앞에 섰을 때 손에 든 커피는 미지근하게 식어버렸다. 나는 식어버린 커피를 홀짝이며 중학교 교문을 뚫어져라 봤다. 나와 겨울이 졸업한 중학교는 오늘 휴교다. 내일 있을 수능시험의 시험장으로 지정되었기 때문이다. 부모님은 내가 내일 아침 일곱 시쯤에 이 교문을 통과해 얌전히 수능 시험을 볼 것을 기대하고 있다. 지난 한 달간, 우리 집은 보통의 고3 수험생을 둔 집과 별반 다를 바 없었다. 아빠는 종종 내게 부담 갖지 말라고 말했고 엄마는 보약을 지어왔다. 나는 시꺼먼 약봉지를 받아들고 어이가 없어서 웃다가 약을 그대로 바닥에 쏟아 부어 버렸다.

겨울이 죽었다. 이제 겨울은 겨울에 붕어빵을 먹지 못한다. 그런데도 11월이, 겨울이 제대로 흘러가고 있는 것은 모두가 겨울을 잊어버렸기 때문인 것만 같다.

그래서 나는 한 가지 계획을 세웠다.

내일 수능시험이 진행되는 중에, 학교 옥상에서 뛰어내리기로.

크레이지 록 스타.

처음 내가 계획을 세우게 된 건 이 사람 때문이다. 본명도 모르고, 얼굴도 본 적 없지만 이 주변에서는 유명한 사람이다. 매일 오후 한시부터 한시 반까지 록 음악을 온 동네가 떠나가라 틀어대기 때문이다.

크레이지 록 스타가 등장한 건 4년 전이었다. 중학교 3학년이 되었던 봄날의 수업 시간, 운동장을 가로질러 들려온 록 음악이 반 애들의 졸음을 깨웠다. 그때부터 중학교를 졸업할 때까지 내내 오후 한시부터 십 분간, 록 음악이 들려왔다. 학교와 근처 주민들이 몇 번이고 소음 신고를 했고 경찰이 오고 갔지만, 크레이지 록 스타는 꿋꿋하게 음악을 틀었다. 애들은 처음에는 짜증을 냈지만 점차 시간 맞춰 들려오는 음악에 익숙해졌다. 나중에는 크레이지 록 스타의 플레이 리스트를 유추해 따라 듣는 애들도 생겼다. 퀸(Queen)과 딥 퍼플(Deep Purple), 너바나(Nirvana)의 곡이 한동안 학교 안에 유행이 되어 번졌다.

멈추지 않는 크레이지 록 스타. 그러다 록 스타가 멈췄다. 주택가와 마주한 내 모교가 4년 만에 수능 시험장으로 지정됐기 때문이다. 일주일 전 누군가 국민청원을 올렸다. '시험장으로 지정된 학교 주변에서 누군가 한시부터 한시 반까지 계속 음악을 틉니다. 그것 때문에 수능 망치면 어떻게 하나요?'라고. 난리가 났다. 소문에는 경찰만이 아니라 시청 직원들까지 크레이지 록 스타를 찾아갔다고 한다. 나중에는 방송국에서도 취재를 나왔다. 나도 주택가 골목에 주차된 방송국

차를 봤다. 내가 방송국 앞에서 1인 시위를 해도 본척만 척하던 그들이 단층 주택의 대문 앞에 정의의 용사라도 되는 듯 버티고 서 있었다.

나는 그들의 방송을 봤다. '수능 잔혹사, 소음 없애기 대작전!' 이라는 타이틀로, 수능을 앞두고 전국 곳곳에서 벌어지는 해프닝을 소개한 프로그램이었다. 작년 수능날 아침에 수험표를 놓고 온 학생을 위해 요금도 받지 않고 전력질주를 했다는 택시 드라이버는 올해도 그런 일이 있으면 도울 것이냐는 리포터의 질문에 "당연하죠. 어린애들이 운명을 걸고 싸우는 날인데 어른이 도와야지." 라고 대답했다. 크레이지 록 스타의 이야기는 가장 마지막에 소개되었는데, 흰 한복 저고리를 입은 중년의 여자가 앰프를 내미는 장면이 클로즈업되었다. "우리 딸이 철이 없어서 죄송해요. 이거, 수능 끝날 때까지 시청에다가 맡길게요. 우리 딸 오기 전에 빨리 가지고 가요. 고3 수험생 둔 부모 마음을 나라고 왜 모르겠어요." 나는 그 방송에서 크레이지 록 스타를 보지 못했다. 그가 여자라는 것을 알게 되었고, 시청에서 나온 사람이 앰프를 들고 나가는 것을 봤을 뿐이다.

컴퓨터 앞에 웅크려 앉아 방송을 다 본 후, 너바나의 『Smells like Teen Spirit』을 틀었다. 크레이지 록 스타가 일주일에 4번 쯤 틀던 곡이다. 방이 쩌렁쩌렁 울리도록 스피커 음량을 최대로 높였다. 곡이 전부 끝나고 마지막 음의 떨림이 채 잦아들기 전, 방문이 열렸다.

“아랫집에서 시끄럽다고 항의 들어왔어. 고3이라 스트레스 때문에 그런다고 하니까 이해해 주더라. 그래도 조금만 조용히 듣자. 응?”

그때 깨달았다. 수능을 앞둔 고3을 위해 어른들은 참으로 많은 것을 해준다는 것을. 수능만이 그들이 인정한 열아홉 살의 전투라는 것을. 크레이지 록 스타가 멈춘 것이야말로 그 증거였다.

그렇다면 그들에게 겨울의 죽음은 아무것도 아닌 것일까.

겨울은 싸웠다. 그거야말로 전투였다. 겨울은 10월부터 현장실습을 나갔다. 겨울의 전공은 회계금융이었지만, 취업 연계가 된 곳은 이동통신사 콜센터였다. 겨울은 고민하다가 두 명의 친구와 함께 일단 해보자고 결론을 내렸다. 겨울이 배정받은 곳은 인터넷이나 휴대전화의 계약 해지를 방어하는 이른바 ‘SAVE 팀’ 이었다. 고객의 귀책사유를 들어야 한다고, 콜 수를 채워야 한다고, 밤 9시가 넘어서 집에 오는 날이 많아졌다. 겨울의 친구들 중 한 명이 업무량을 버티지 못하고 계약을 해지했다. 담임은 학교의 취업률이 낮아진다며 겨울과 또 한 명의 친구에게는 절대 그만두지 말라고 엄포를 놨다. 겨울은 사수에게 회사가 콜 수를 강요하는 걸 멈춰 달라고, 그건 명백한 계약위반이라고 말했다. 그날 이후 겨울이 집에 늦게 오는 날은 더 늘어났다. 그리고 어느 날, 아예 집에 돌아오지 않았다. 밤 열한시가 넘도록 연락이 되지 않던 10월의 마지막 날, 겨울은 한강 다리 위에서 뛰어내렸다.

그렇게 겨울은 사라졌다. 죽었다.

그 뒤로 나의 겨울도 얼어붙어 버렸다. 사람들은 내게 온갖 위로의 말을 건넸으나, 정작 겨울의 죽음에 대해 입을 열어야 할 사람들은 누구도 말하지 않았다. 학교도, 회사도 겨울의 죽음에 책임이 없다고만 했다. 겨울의 출퇴근 기록에는 정시 퇴근이 찍혀 있었고, 감사에서도 업무 초과 등 현장실습 조항을 위반한 사항은 없었다는 발표가 났다. 겨울과 함께 일했던 친구 두 명도 침묵했다. 그 아이들 중에 겨울보다 먼저 그만둔 아이는 장례식장에서 엄마의 손을 붙잡고 죄송하다며 울었다. 엄마는 그 애를 안아 주었지만, 나는 그 애를 흠씬 두들겨 패고 싶었다. 미안하면 말을 해. 겨울이 자살한 게 아니라고. 그들이 겨울을 죽인 거라고 말을 하란 말이야. 언론에서는 아주 짧게 겨울의 기사를 다루었다. '특성화고 현장실습생, 실습 중 자살. 회사는 관련성 부인.' 후속 기사는 나지 않았다. 겨울의 죽음은 이전에도 있었던 형태의 비극이었고 사람들은 더 자극적인 비극에만 주목했다.

나는 1인 시위에 나섰다. 몸에 피켓을 두르고 회사 정문 앞에 서서 시위를 벌였고, 방송국 앞에도 갔다. 학교를 조퇴하고 시위에 나선 지 일주일 되던 날, 아빠가 내게 말했다. "가을이 너도 수능이 코앞인데 이젠 그만해라." 라고. 순간 귀를 의심했다. 겨울이 죽었는데 부모님은 수능을 이야기했다. 동생의 죽음보다 수능이 더 중요하다는 듯이. 그제야 상황파악이 되었다. 부모님이 회사가 제시한 합의금을 받기로 빠르게 결정한 것, 기자들이 오는 것을 마뜩잖아했던 것, 동생의 장례식이 끝나자마자 아무 일도 없었다는 듯 내 앞에서 괜찮은 척을 했던 것. 진실 따위는 어떻게 되든 좋다는 듯 암막 뒤로 치워버린 오직 하나의 이유. 내가 고3, 수험생이었기 때문이었다.

크레이지 록 스타의 음악이 멈춘 그 날, 나는 밤새 『Smells like Teen Spirit』를 들었다. 헬로, 헬로, 헬로… 몽환적으로 반복되는 멜로디 속에서 결심했다.

수능이 그토록 신성한 것이라면, 그 신성한 날을 뒤흔들어 또 다른 열아홉의 싸움도 있다는 것을 알게 해 주겠다고. 아무리 고민해도 그럴 수 있는 방법은 딱 하나 뿐이었다.

수능 시험장 옥상에서 뛰어내리기.

그걸 할 수 있는 사람도 오직 나뿐이다.

새벽 5시. 아직 교문은 열리지 않았다. 이 학교의 교문이 열리는 시간은 6시 30분이다. '수험 날 주의사항'에는 모든 수험생은 오전 8시 10분까지 입실할 것이라고 쓰여 있었다. 하지만 대부분의 수험생이 그보다 일찍 학교에 올 것이다. 그들 중 누군가 내가 옥상으로 가는 걸 보고 비명을 지르지 않을 거란 보장은 없다. 나 같아도 수능 시험장에서 누군가 옥상으로 향하는 계단을 기웃거리거나, 창문으로 몸을 반쯤 빼고 있으면 당장 감독관에게 말할 거다. 그래서 아예 교문 개방 전에 몰래 학교에 들어가기로 마음먹었다. 잠긴 교문은 문제가 되지 않았다. 중학교 3년 내내 점심시간에 몰래 밖에 나가 떡볶이를 사 먹을 때마다 넘던 담이다. 나는 양팔에 힘을 주고 담을 뛰어 넘었다. 메마른 운동장의 모래가 운동화 끝에 버석하게 와 닿았다. 빠른 걸음으로 학교 건물을 향해, 운동장을 가로질러 걸었다. 해가 뜨지 않은 새벽의 학교는 까맣고 끈적끈적한 액체에 둘러싸인 디오라마처럼 보였다.

때로 학교는 이야기의 무대가 된다.

저녁을 먹고 함께 산책을 하고 돌아올 때면, 나와 겨울은 늘 학교 앞을 지났다.

“우리 학교, 새로운 괴담 생긴 거 알아?”

겨울은 졸업한 후에도 우리가 졸업한 중학교를 ‘우리 학교’라고 불렀다. 나는 그게 좋았다. 고등학생이 된 후로 나와 겨울은 ‘우리 학교’라는 말로 묶일 수가 없었으니까. 그래서 산책할 때마다 학교 앞에서는 일부러 느릿하게, 발걸음의 속도를 늦추곤 했다.

“무슨 괴담?”

“수능 날이 되면 옥상에 춤을 추는 귀신이 나온데. 아침부터 수능 끝날 때까지 계속 춤을 추고 있다가 사라진다는 거야. 그 사건 있었잖아. 예전에 수능 끝나고 학교 옥상에서.”

겨울은 애매하게 말을 끊었지만, 나는 겨울이 하려는 이야기가 무엇인지 알았다. 이 근방에 사는 사람이라면 누구나 알고 있을 사건이다. 예전에 학교가 수능 시험장으로 지정되었던 때, 수능시험 중에 수험생이 옥상에서 뛰어내려 자살했다. 학교는 그 사건으로 수능 다음날도 휴교를 선포했었다. 그때 나와 겨울은 중학교 2학년이었다. 자살한 누군가를 추모하기 위해 교문 앞을 찾아오던 사람들. 교복을 입은 그들은, 교실 안에서 교문을 내려다보고 있던 나와 이상하리만치 닮아 보였다.

"거짓말이겠지. 우리 중3때 그런 거 못 봤잖아."

"모르지. 우리 학교, 그 사건 이후로 수능 날 되면 시험장 지정 안 되어도 휴교했잖아. 학교 개교기념일이라서 쉬는 거라고. 4월이던 개교기념일이 갑자기 11월이 되었냐고 애들이 엄청 비웃었잖아."

"학교 개방해 놓으면 누가 들어와서 또 사건 벌일까 봐 겁먹어서 그런 거지 뭐."

"그러니까 우리는 못 봤어도 진짜 귀신이 나왔을 수도 있잖아."

"옥상이면 학교 밖에서도 보였겠지."

"그런가? 하긴, 학교에 등장하는 귀신은 다 비슷하니까."

"자살한 학생이 귀신이 되어서 나오는 이야기는 하나씩 꼭 있잖아."

겨울은 품에 안고 있던 붕어빵 봉지에서 붕어빵 하나를 꺼냈다. 부스럭거리는 소리가 잠시간 생겨난 침묵을 없앴다. 겨울은 꺼낸 붕어빵을 반으로 갈랐다.

"나 다니는 학교에는 없어. 자살한 귀신 이야기."

겨울은 내게 붕어빵 반쪽을 내밀었다.

"진짜로 자살한 사람이 있는 학교에서는 오히려 그런 괴담이 안 돌아. 그 사건이 몇 년 안 되었을수록 더욱더. 자기 기억에 선명한 누군가를 귀신으로 만드는 거, 끔찍하니까."

나는 겨울이 내민 붕어빵을 받아들어 입에 밀어 넣었다. 붕어빵에, 겨울의 말에 목이 메었다. 겨울의 학교에서 2년 전에 누군가 자살했다는 것을, 나도 알고 있었다. 현장실습을 나갔던 그 '누군가'는 학교에서 『해리포터』의 볼드모트 취급을 받는다고 했다. 분명 있었던 사건이고 존재했던 사람인데, 학교에서 '누군가'의 이야기를 꺼내는 것은 금기라고. 그래서 다들 '누군가'를 그 선배라고만 알고 있지 이름을 모른다고. 겨울이 '누군가'의 이야기를 내게 해주었던 날, 겨울은 현장실습 신청을 했다. 붕어빵 반쪽을 오물거리던 그날은 겨울이 현장실습을 시작한 지 일주일 되던 날이었고, 그 일주일 만에 겨울은 몸무게가 5킬로그램이나 빠졌다.

"그러니까 우리 학교에 나오는 귀신도 귀신 아닌 거지."

나는 애써 가볍게 겨울의 말을 받아 넘겼다. 그때의 나는 겨울이 무슨 일을 겪는지 정확히 몰랐다. 그러나 말라가는 겨울의 몸과, 가끔씩 멍하니 아무것도 없는 곳을 바라보는 눈빛에서 무언가 잘못되고 있음을 느끼고 있었다. 그럼에도 나는 겨울에게 묻지 않았다. 혹시 무슨 일이 있냐고. 어떤 대답이 나올지 몰라서, 그 대답이 내가 감당하기에는 너무 무거운 것일까 봐 무서워서, 함께 산책하는 그 짧은 시간의 즐거움을 해치고 싶지 않아서. 고작 그런 이유로 묻지 않았다. 물었어야 했다. 물어봤다면 무언가 달라졌을 수도 있었을 텐데. 겨울은 붕어빵 반쪽을 아주 천천히 먹었다. 신호등의 빨간 불빛이 초록색으로 바뀔 때에야 마지막 한 입을 넘겼다. 횡단보도를 건너려는데, 겨울이 뒤에 멈춰 선 채 움직이지 않았다. 뒤돌아보니 겨울은 무언가에 홀린 듯 신호등을 바라보며 서 있었다.

"… 언니, 만약에 내가 귀신이 되면 말이야. 내가 다니는 고등학교는 좀 머니까, 우리 학교의 귀신이 될까 봐. 그래야 언니가 날 자주 보러 오지."

나는 겨울의 손을 꽉 잡았다. 붕어빵 봉지를 들고 있었음에도 흠칫할 정도로 차가웠다.

"네가 왜 귀신이 돼?"

"그냥 그렇다는 거야."

그 차가운 손의 감촉이 떠올라 팔짱을 꼈다. 잡을 손 없이 혼자 운동장을 건너 학교 건물 앞에 도착했다. 정문의 문고리를 잡고 당겼다. 문은 잠겨 있었다. 당연한 일인데, 그 당연한 것을 왜 생각하지 못했던 걸까. 이 문을 열 방법은 고민조차

하지 않았다. 나는 문고리를 몇 번 더 세게 잡아당겨 보고 그 앞에 쪼그려 앉았다.

'어쩌지? 일단 집에 돌아가야 하나?'

집에 돌아가면 멀쩡히 수능을 보러 가는 듯 집을 나서야 할 것이다. 아빠는 엊그제 술을 마시고 돌아와 거실에서 고래고래 소리를 질렀다. 잊고 살아야 한다고. 그래도 하나 남은 게 공부를 더 잘하는 쪽이라 얼마나 다행이냐고. 엄마는 아빠의 말을 신경 쓰지 말라고 했다. 슬퍼서 저런다고. 아빠 나름의 슬픔을 달래는 방법이라고. 그렇게나 폭력적으로, 타인을 할퀴는 애도를 애도라고 할 수 있을까. 엄마는 내게 방을 정리하지 않겠냐고 물었다. 겨울과 함께 쓰던 이층침대를 없애고, 겨울의 책상을 없애고, 나 혼자 쓰는 방으로 정리하자고. 나는 싫다고 했다. 그러나 수능이 끝나면, 수험생이기에 차지하고 있는 집에서의 내 위치가 사라지면, 엄마는 강제로 방을 정리할지도 모른다. 결국 아빠와 엄마는 겨울의 모든 것을 지워버릴 것이다.

이대로 집에 돌아가면, 그런 두 사람의 배웅을 받으며 집을 나서야 한다. 파이팅이라고 말할지도 모른다. 파이팅이라니. 무엇을 힘내라는 걸까. 듣고 싶지 않다. 수능 날 아침이기에 더더욱 부모님과 마주치고 싶지 않았다.

'잘 찾아보면 열려있는 창문 하나쯤은 있지 않을까?'

무릎에 두 손을 대고 몸을 일으키려 할 때였다. 뒤에서 인기척이 느껴졌다. 고개만 돌려 뒤를 봤다. 검은 야상을 입고 검은 마스크를 쓴, 벙거지 모자를 푹 눌러쓴 사람이 나를 향해 손을 뻗었다. 나는 주먹을 꽉 쥐었다.

"도와주려고 한 건데 얻어맞을 줄이야."

"그쪽이 어떻게 봐도 수상해 보이니까 그랬죠."

"내가? 어디가? 그리고 그쪽이 뭐니. 내 이름 이세원이라고 가르쳐 줬잖아."

"머리부터 발끝까지 다 수상한데요."

이세원은 누가 봐도 수상했다. 온통 검은 옷차림이나 등에 멘 검은 가방이 수상한 게 아니라, 처음 본 사람에게 대뜸 "내 이름은 이세원. 25세, 학교 안에 들어가고 싶은 거면 같이 가자."라고 말하는 뻔뻔함이 수상했다. 무단침입을 하려는 사람을 보고 놀라지 않는 사람은 똑같이 무단침입을 하려는 사람이 아닐까. 하지만 나는 그 말을 목 아래로 삼켰다. 잠긴 창문의 잠금장치를 따고 있는 이세원이 없으면, 학교 안으로 들어갈 방법이 없었다.

이세원은 창문의 틈새로 동전을 밀어 넣고 몇 번 손을 움직인 뒤 창틀을 들어 올렸다. 창문은 가볍게 열렸다. 이세원은 야상을 벗어 창문 너머로 밀어 넣고, 등에 메고 있던 가방도 넘긴 후에 다리를 위로 번쩍 들어 올리더니 창틀에 턱 얹었다. 무척 손쉽게 창틀을 넘어 학교 안으로 들어간 이세원이, 창밖으로 고개를 내밀었다.

"코트 벗고 들어와. 그 편이 쉬워."

"코트를 벗어도 힘들 것 같은데요."

이세원을 흉내 내 창틀을 붙잡고 점프했지만, 내 몸은 이세원만큼 가볍게 공중으로 떠오르지 않았다. 결국 나는 화단에서 벽돌을 주워 와 발 아래에 쌓고, 상반신을 창문 너머로 밀어 넣었다. 이세원이 내 양 겨드랑이에 손을 넣어서는 안쪽에서 끌어당긴 끝에 간신히 창문을 넘었다.

"운동 좀 해라."

"고3이거든요? 체육시간에도 교실에서 공부만 한지 반년째거든요?"

나는 복도 바닥에 던진 코트를 주워 입었다.

'학교 안에 들어왔으니까 이젠 됐어. 저 사람이 뭘 하든 내가 상관할 바 아니지.'

이세원이 학교 교무실을 털러 왔던, 혹은 교실에 폭탄을 설치하러 왔던 내가 상관할 일은 아니다. 아니다, 교실에 폭탄은 좀 그렇다. 그런 일이 일어나면 내가 옥상에서 떨어진 일은 사건으로도 취급되지 않을 것이다.

'부디 나보다 눈에 띄는 일을 저지르지 않기를.'

나는 멀뚱히 서 있는 이세원을 앞질러 중앙 계단으로 향했다. 옥상을 향해 걸어 올라가면서 다시 한번, 계획을 머릿속으로 곱씹었다. 단순한 계획이다. 옥상에 숨어 있다가 수능이 시작된 후에 뛰어내린다. 옥상에 공책을 남겨 놓을 거다. 공책에는 겨울의 사건을 스크랩한 자료와, 내가 뛰어내리는 이유를 적어 놓았다. 혹시 아무도 공책을 발견해주지 않을까 봐 친구들을 수신자로 메일 발송 예약도 걸어놓고 왔다.

문제는 시간이다. 1교시 시험을 보는 중에 뛰어내릴 것인가, 아니면 2교시가 끝나고 점심시간이 되었을 때 뛰어내릴 것인가. 미디어는 자극적인 걸 좋아하니까 1교시 시험 시작과 동시에 뛰어내리는 게 뉴스에 나올 확률은 제일 높을 것 같다. '이번 수능 난이도 조절 실패. 1교시 시작과 동시에 비관한 수험생 투신.' 이런 타이틀을 달고 내보낼 것이다. 그럼 공책을 발견한 누군가나, 혹은 메일을 받은 친구들 중 누군가 거기에 반박할 거다. 그런 이유로 뛰어내린

게 아니라고.

여기까지가 긍정적인 시나리오다. 부정적인 시나리오도 있다. 막 시작한 시험을 방해하지 않으려고 감독관이 내가 뛰어내린 걸 은폐하는 거다. 어차피 점심시간이 되기 전까지는 건물 밖으로 나올 사람이라곤 정해져 있다. 설마 그럴까 싶다가도, 수능을 향한 어른들의 맹목적인 충성을 떠올리면 그렇게 할 것도 같다. 그럼 차라리 점심시간에, 수험생들도 건물 밖에 나와 있는 그때 뛰어내리는 게 좋지 않을까. 선택지는 여전히 좁혀지지 않은 채이다.

머릿속으로 시계바늘을 앞으로 돌렸다가, 뒤로 돌렸다가를 반복하는 사이에 거대한 철문이 내 앞을 가로막았다. 옥상으로 이어진 계단을 중간에서 뚝 잘라 버린 중문이 당황스러웠다. 학교에 다닐 때에는 이런 것이 없었다. 나는 철문의 문고리를 잡고 왼쪽, 오른쪽으로 마구 돌렸다. 문고리가 헛도는 소리만 났다.

'이러기야? 우리 학교잖아. 우리 편이 되어줘야지.'

나는 팔짱을 끼고 철문을 노려보았다.

"그러고 있으면 문이 저절로 열려?"

등 뒤에서 뻗어 나온 손이 문고리를 잡았다. 이제는 눈에 익은 검은 야상. 이세원이 내 옆에 와 섰다.

"따라온 거예요?"

"아니, 내 목적지도 여기. 방해하지 말고 비켜. 하도 당당하게 앞서가기에 열쇠 정도는 가지고 있는 줄 알았더니."

"예전에는 이런 거 없었어요."

"재작년에 생겼어. 재작년에 누가 또 옥상에서 투신하려고 했거든. 이전에도 같은 사건이 있었는데 관리 소홀이라고 두들겨 맞았겠지. 그래서 생각해 낸 게 고작 이거라니. 한심하지."

이세원은 주머니 안에서 열쇠를 꺼내 문고리에 꽂아 돌리곤 발로 철문을 밀었다. 문은 저항 없이 부드럽게 열렸다.

"그쪽, 뭐 하는 사람이에요?"

"그쪽이 아니라 이세원. 세원 언니."

"학교에 숨어들어온 사람을 언니라고 부르긴 싫은데."

"네가 할 말은 아니지."

이세원은 열린 문을 통과해 계단을 올랐다. 아래에서 지켜보니 이세원은 옥상 열쇠도 가지고 있는 듯했다. 이세원은 옥상 안으로 사라졌다. 나는 잠시 망설이다가 문턱을 넘었다. 옥상에 올라가니 이세원은 철제 펜스가 처진 옥상 난간에 걸터앉아 있었다.

"거긴 내 자리인데요."

"무슨 소리야. 여긴 내 지정석이야."

이세원은 난간에 앉아 등에 메고 있던 가방을 벗어 옆에 놨다. 나는 이세원이 차지한, 운동장과 정면으로 마주보는 쪽 난간을 포기할 수 없었다. 운동장 쪽으로 떨어져야 이목이 집중될 터였다. 결국 나는 이세원과 거리를 두고 같은 난간에 앉았다. 펜스 아래쪽 틈 사이로 발을 밀어 넣고 앉아 운동장을 내려다보는데 옆에서 부스럭거리는 소리가 났다. 부아가 치밀었다. 내가 원한 건 이런 것이 아니었다. 계획대로라면 나는 이곳에 혼자 앉아 겨울이를 떠올리고 있어야 했다. 그러나 계속해서 이어지는 잡음은 무엇도 떠올릴 수 없게 했다. 고개를 돌려 옆을 보니, 이세원은 가방에서 커다란 CD플레이어를 꺼내고 있었다. 아무리 봐도 휴대용은 아닌, 작은 택배 상자만한 크기의 플레이어였다. 연이어 이세원이 가방 안에서 꺼낸 것은 플레이어와 비슷한 크기의 스피커 두 개였다.

"왜 그렇게 똥 씹은 표정으로 봐? 내 덕분에 쉽게 올라왔으면서."

"딱히 도움 받고 싶었던 거 아닌데."

"도움 받으면 좋지, 뭘 그래. 도움 받을 수 있는 건 뭐든 받아. 그래도 돼."

이세원은 플레이어에 스피커를 연결했다.

"요즘 시대에 웬 CD. 웬 플레이어."

"이쪽이 음질이 훨씬 좋아."

"무슨 음악인데요? 어떤 가수?"

이세원은 플레이어 안에 든 CD를 꺼내 들어 보였다. 라벨이 붙어 있지 않은, 누가 봐도 자가 제작품이었다.

"제멋대로 록 페스티벌 플레이 리스트. 내가 학교에 왜 몰래 들어왔는지는 안 궁금해?"

"그다지."

약간 궁금하긴 했지만, 물었다가는 내가 숨어 들어온 이유도 말해야 할 것 같았다. 이세원은 스피커를 가리켰다.

"원래는 더 소리 빵빵하게 나오는 걸 가져오는데 뺏겼어. 엄마가 시청 공무원한테 맡겼다고 하더라. 그거 원래 엄마가 굿할 때 쓰는 거거든. 나 때문에 장사 도구 빼앗겼다고 어찌나 투덜거리던지. 그렇게 불평할거면 주지를 말던가. 방송국 사람들도 참 극성이지. 놔뒀어도, 수능 날에는 내가 알아서 조용히 했을 텐데."

그 말을 듣고야 알았다. 내 옆에 앉아있는 여자, 이세원이 '크레이지 록 스타'라는 것을. 크레이지 록 스타는 중학교 3학년 내내 나와 겨울이의 졸음을 깨워주던 DJ였다. 겨울은 크레이지 록 스타가 누구일지를 늘 궁금해했다. 내게 크레이지 록 스타의 플레이 리스트 중 너바나의 노래가 좋다고 추천해 주기도 했다. 불청객일 뿐이던 이세원이 기억의 공간 한쪽에서 걸어 나온 존재가 되었다.

"왜 매일 록 음악을 틀어요? 사람들이 신고하고 그러는 거, 귀찮지 않아요?"

"무서워서. 내가 귀신을 보거든."

이세원은 플레이어의 음량 조절 버튼을 만지며 태연히 대답했다. 거짓말, 이라는 말이 저절로 나왔다. 역시 이 사람은 수상하다.

"진짜야. 내가 열아홉 살 때 이 학교에서 수능을 봤어. 채원이라고, 내 친구가 있었는데 걔랑 같이 저 교문을 넘었지."

학교 앞을 지날 때의 겨울의 목소리가 떠올랐다. 수능 날이 되면 옥상에 춤을 추는 귀신이 나온대. 그 사건 있었잖아. 수능 끝나고 학교 옥상에서. 차가운 바람이 뺨을 할퀴었다. 펜스를 잡고 있던 손가락 끝이 얼얼하니 붉었다. 검은 마스크를 쓰고 검은 야상을 입은 이세원은 해가 뜨지 않은 11월 새벽의 새까만 어둠과 하나인 듯 보였다. 저 마스크 아래에는 아무것도 없는 것은 아닐까. 아니면 인간의 것이 아닌, 무언가 다른 것이 있지는 않을까. 이유 없이 오소소 목덜미에 소름이 돋았다. 이세원의 목소리가 차가운 공기에 뒤섞여 내 목덜미 아래로 흘러 들어왔다.

"2교시 끝나고 점심시간에 도시락 먹고 엎드려 자고 있었어. 채원이 날 깨우는 거야, 음악 듣자고. 운동장에 나가서 음악 들으면서 춤추자고. 난 싫다고 했어. 졸렸거든. 전날 너무 긴장해서 잠을 거의 못 잔 탓에, 2교시 수리 영역을 망쳤어. 어떻게든 3교시는 잘 봐야 했어. 그래서 점심시간에는 자야 한다는 생각뿐이었어."

수능을 잘 보고 싶었다고, 이세원은 말했다. 수능을 잘 봐서 채원과 같은 대학에 가는 것이 열아홉 살이던 이세원의 목표였다. 그것 외에는 아무런 목표도, 원하는 것도 없었다고 했다. 이세원은 모의고사 3등급, 친구인 채원은 모의고사 1등급이었다.

"잘 자고 일어나서 계속 시험을 봤지. 5교시에 제2외국어 시험을 보고 있는데 밖이 소란스러워졌어. 무시했지. 시험을 봐야 했으니까. 시험을 끝내고 제출했던 휴대폰을 돌려받았어. 보니까 부재중 전화도 엄청나게 찍혀 있잖아. 무슨 일인가 싶었는데 후배에게 전화가 왔어. 받았지. 후배가 그러는 거야. 채원 선배가 죽었데요. 선배, 괜찮아요? 라고."

채원은 뛰어내렸어. 이 학교 옥상에서. 그렇게 말하는 이세원의 목소리 끝이 희미하게 떨렸다. 수상한 이세원. 그러나

한 가지는 확실했다. 이세원은 귀신은 아니다. 귀신은 슬퍼하지 않을 것이다. 그렇게 믿고 싶다. 귀신은 슬퍼하지 않아야만 한다. 그래야만 한다.

"사람들이 다 나에게 묻더라. 왜 그런 것 같냐고. 내가 그걸 어떻게 알겠어. 내가 채원이에 대해 아는 건 말이야. 록을 즐겨 듣고 특히 너바나를 좋아하고, 우울할 때면 춤추는 걸 좋아한다는 것뿐이야. 수능이 끝나면 전 세계의 록 페스티벌을 찾아 여행을 다니자고 약속도 했어."

장례식이 끝나고 며칠간, 나는 겨울의 귀신이 나타나기를 바랐다. 겨울이 분명 귀신이 되었을 거라고 믿었다. 한을 품고 죽으면 귀신이 된다고 하니까. 겁도 많은 겨울이, 그 높은 곳에서 뛰어내렸으니 그것은 귀신이 되기에 충분한 한이 아닌가? 그러나 겨울은 이제껏 찾아오지 않았다. 꿈에서조차 나를 찾아오지 않은 걸 보면, 겨울은 귀신이 되지 않았을지도 모른다. 그래도 혹시 모르니까 귀신은 슬퍼하지 않기를, 슬픔 따위는 느끼지 않기를 바란다. 슬퍼하는 겨울은 보고 싶지 않다.

"그래, 나는 알고 있었어. 수능 날, 나를 깨웠을 때 채원이 우울했다는 걸. 하지만 왜 우울했는지 내가 어떻게 알겠어. 우울한 이유는 수백 가지가 있잖아. 그중 무엇이 채원에게 그런 선택을 하게 만들었는지는 아무도 모르는 거야. 그 사람들은 모르지. 채원의 안에 있던 파란 멍을. 채원이 자신의 부모를, 이 세상을 증오하면서도 얼마나 사랑했는지를. 비가 오는 날이면 운동장에 뛰어나가 춤을 췄다는 걸. 숨을 쉬지 못할 정도로 웃을 때가 많고, 그만큼 우는 날도 많은 아이였다는 걸. 그래서 나는 아무 말도 못 했어."

이세원은 친구의 장례식장에서 맞았다. 채원의 부모는 무당의 딸이 들러붙는 바람에 채원의 팔자가 사나워진 거라고 소리를 지르며 이세원의 뺨을 때렸다. 이세원은 뺨을 맞고 나와, 플레이어를 한 손에 들고 다시 장례식장에 갔다. 그리곤 장례식장 앞에서 음악을 틀고 춤을 췄다. 채원의 부모가 달려나와 이세원을 두들겨 팼다. 이세원은 플레이어를 들고 이 학교로 왔다. 하교가 끝나 교문이 잠긴 학교의 담을 넘어 옥상으로 올라왔다. 이세원은 옥상 난간에 서서 다시 음악을 틀었다. 음악에 맞춰 춤을 추면서 울었다.

"뉴스에서는 그러더라. 수능 난이도 조절 실패. 수험생 비관 투신이라고. 어이가 없었어. 사람들은 열아홉 살, 수능을 보던 누군가 절망할 이유는 단지 성적뿐이라고 생각했던 거야. 채원에 대해 아무것도 모르면서, 알려고 하지도 않고 '고3 수험생' 이라는 집단 안에 채원의 죽음을 밀어 넣고 멋대로

꼬리표를 붙였어. 그거, 억울하지 않겠어? 죽은 건 내 선택이었다 해도 말이야. 그런 식으로 내 죽음이 멋대로 재단되면 죽은 후에도 억울해서 성불 못할 것 같지 않아? 귀신 될 만하지 않나?"

"그러니까 그쪽은 채원의 귀신이 나타날까봐 무서워서 록을 튼다는 거예요?"

"반대야. 채원이 날 찾아오지 않아서 매일 자체 록 페스티벌을 개최 중인 거야. 착실하게 유명한 세계 록 페스티벌의 연도별 출연진 목록대로 틀고 있지."

"뭐야. 결국 귀신 보는 건 거짓말인 거잖아요."

"난 그렇게 말한 적은 없어. 이 학교에도 귀신이 얼마나 많은데."

"거짓말"

이세원은 고개를 갸웃하더니 내 어깨 너머를 바라보며 검지를 까닥거렸다.

"예를 들면 네 옆에 서 있는, 너랑 똑같이 생긴 애. 걔가 아까부터 나한테 그러네? 오늘 자기한테 제일 소중한 사람이 죽을까 말까 바보 같은 짓을 하려고 하니까 말려 달래."

"… 거짓말."

그렇게 말하면서도 이세원의 시선을 따라 고개를 돌렸다.

그곳에 있는 거라곤 어깨에 차갑게 와닿는 펜스뿐이었다. 그것을 알면서도, 나는 펜스 너머 허공을 눈으로 더듬었다.

"맞아, 거짓말이야. 난 오늘 채원의 기일을 기리려고 여기 온 것뿐이야."

수상하고 짜증나는 이세원의 말을 어디까지 믿어야 할지 알 수가 없었다. 나는 턱이 아프도록 입을 꽉 다물고 허공 더듬기를 멈췄다. 이세원의 말에 휘둘린 것이 짜증났다. 더 짜증나는 건, 그럼에도 바라는 것을 그만둘 수 없다는 거였다. 겨울이 내 옆에 있기를. 영화 같은 거 보면 귀신이 말은 못해도, 사람 머릿속에 파고 들어와서 생각도 읽고 말도 걸고 그러던데. 겨울도 귀신이 되었다면 그쯤은 할 수 있지 않을까.

'바보 동생아, 내 옆에 있으면 말 좀 걸어 봐. 귀신에 홀렸냐는 소리 듣는 것쯤은 참을게. 너 나한테 할 말 없어? 그렇게 멋대로 군 거, 미안하지도 않아?'

나는 펜스 너머 운동장을 내려다보았다. 옥상에서 내려다본 운동장은 커다란 갈색 편지지 같았다. 나는 그 위에 천천히 글자를 새겼다. 보이지 않는, 누구도 읽을 수 없는, 받을 사람 없는 편지를.

… 아니야. 네가 미안할 게 뭐가 있어. 네 말을 들으면서도, 그게 어떤 건지를 몰랐어. 힘들다는 말은 누구나 다 하니까. 우리는 열아홉 살이잖아. 대한민국의 고3이 힘든 건 너무 당연한 거니까. 내가 힘들다고 너의 힘듦도 나만큼의 것이 아닐 수도 있다는 걸 몰랐어. 너의 일상은 나의 것과 닮은 듯 너무 달라서. 나는 내가 서 있는 그 위치에서 버둥거리기도 벅찼어.

곧 내가 하려는 건 진짜 바보 같은 짓일까? 알아. 내가 이곳에서 뛰어내려도 아무것도 안 변할 거야. 내가 남긴 공책도, 친구들에게 보낸 메일도 누구의 관심도 끌지 못할 수 있지. 어쩌면 내 투신도 '고3 수험생의 성적 비관' 카테고리로 분류되어 마무리될지도 모르지. 하지만 어떻게 해? 나는 이 방법 말고는 네 싸움이 잊히는 것을 막을 방도가 떠오르지 않아.

나는 가끔, 중학교 때 꿈을 꿔. 우리 같이 진로 상담했던 때의 꿈. 나와 넌 교복을 입고 교무실 한 쪽에 서 있어. 선생님들이 왔다 갔다 하는 좁은 통로에, 벽에 등을 딱 붙이고 서서 서로의 눈치를 살폈지. 원래 진로상담은 한 명씩 하잖아.

담임이 우리 둘을 같이 불렀던 건, 우리가 쌍둥이라 그랬던 걸까? 담임이 우리를 자리로 불렀지. 담임은 특성화 고등학교 팸플릿을 너에게만 줬어.

"겨울이 네가 부탁했던 거 찾아봤다. 상업계열 특성화 고등학교 중 괜찮은 곳이야. 회계사는 바로 실무에 투입되는 케이스가 많다고 하더구나. 다른 곳보다 내신 경쟁이 상당히 치열하긴 한데, 겨울이 넌 성적이 좋아서 무리 없을 듯해. 수학도 잘하니까."

그때 내가 얼마나 놀랐는지 너는 모르지. 나는 네가 특성화 고등학교에 가려고 한다는 걸 그때 처음 알았어. 담임에게 자료를 부탁했다는 것도, 회계사가 되고 싶어 한다는 것도 몰랐지. 우리는 그런 이야기를 나눈 적이 없었어. 겨울이 너는 가끔 내게 물었지. 뭐가 되고 싶냐고. 나는 장래 희망 조사서를 채우듯 건성으로 그 질문을 넘겼어. 단 한 번도 너는? 이라고 되묻지 않았지. 나는 되고 싶은 게 없는데, 너는 있다는 걸 확인하고 싶지 않았어. 너는 팸플릿을 받아 유심히 한 장 한 장 넘겨봤고, 그 옆에서 나는 꿔다놓은 보릿자루처럼 앉아 있었지. 담임은 손가락의 마디를 우두둑 소리가 나게 꺾었어.

"정말 인문계로 진학할 생각은 없니?"

"왜요? 하고 싶은 게 확실한걸요. 시간 낭비하고 싶지 않아요. 요즘 대학 간다고 다 취업되는 것도 아니고. 서울대 나와도 백수 된다잖아요."

그렇게 말하는 너는 꼭 어른 같았어. 나보다 훨씬 더. 교무실을 나오자마자 빈정거렸던 건 그래서였어. 질투가 나서.

"특성화고 같은 데를 왜 가? 거기 공부 못하는 애들이나 가는 데잖아. 아니면 돈 없는 애들이나. 아빠랑 엄마도 허락 안 할걸?"

"너 그거 편견이야. 요즘은 공부 잘하는 애들도 많이 간대. 게다가 나라에서 적성 찾을 애들 빨리 찾으라고 만든 제도잖아. 그렇게 이상할 리가 없어. 그리고 아빠랑 엄마는 허락해야 할 걸. 특히 아빠는. 쓸데없이 여자애 둘 다 대학 보내서 뭐하냐고, 술 먹고 올 때마다 그랬잖아. 내가 알아서 취직 빨리 할 수 있는 고등학교 간다는데 뭐가 문제야."

"허락 안 할 거야. 아빠도 엄마도, 우리 공부 잘한다고 얼마나 자랑을 하고 다니는데."

"가을이 넌 일반고 가잖아. 자랑은 계속할 수 있을 텐데, 뭐."

할 말이 없어진 나는 결국 화를 냈어. 나는 이해할 수 없었어. 아빠가 그런 말을 하는 건 나도 싫었어. 그렇지만 술을 마실 때뿐이니까, 하고 참았지. 친구들 이야기를 들어봐도, 집

집마다 그 정도 문제는 다 있으니까 못 참을 건 없다고 생각했어. 우리 집은 평범하니까. 부모님이 우리를 때리는 것도 아니고, 용돈을 안 주는 것도 아니니까. 시험만 잘 보면 별반 잔소리도 안 하니까. 내가 참고 넘기는 말들에 예민하게 반응하는 네가, 유난을 떠는 것만 같았어. 우리는 쌍둥이니까. 모든 게 닮았으니까 내가 참을 수 있는 건 너도 참을 수 있을 텐데. 그런 말도 안 되는 핑계로 너를 탓했어.

"그래, 너 잘났다. 네 마음대로 해. 가서 확 망해 버려라."

그게 뭐야. 초딩도 아니고. 씩씩거리며 화를 내는 내 옆에서 네가 웃어서 진이 쭉 빠졌지. 그게 너와 내가 함께 받은 마지막 진로상담이었어.

꿈에서 말이야. 나는 너에게 여전히 화를 내. 그 순간에 학교 복도 창으로 반짝이는 빛이 몰려와서 너를 감싸. 복도 전체가 윙윙 울리면서 내가 한 말을 메아리치듯 반복해. 망해 버리라고. 나는 그 순간, 내가 너에게 저주를 걸었다는 걸 깨달아. 꿈속에서는 일어나지 않은 미래의 비극이 발아래, 복도에 비추어져. 꼭 마법 거울처럼. 그 안에서 네가 떨어지고, 또 떨어지고, 계속 떨어지고 있는 거야. 망해 버리라고 말한 나 때문에. 나는 복도에 무릎을 꿇고, 떨어지는 너를 향해 손을 뻗지만 딱딱한 콘크리트에 손톱이 부딪칠 뿐이야. 한참을 쩔

쩔매다가 고개를 들어. 그럼 복도에는 나 혼자야.

넌 사라지고, 오직 나 혼자.

꿈에서 깨어나면 생각해. 내가 너에게 저주를 건 걸까? 그 한마디 때문에 그렇게 된 걸까? 처음 그 꿈을 꿨을 때는 계속 그런 생각이 떠올라서 힘들었어. 아니라는 걸 알아. 고작 내 말 한마디가 무슨 힘을 가지고 있겠어. 그렇지만 후회가 되는 건 어쩔 수 없더라. 나와 다른 선택을 했다는 이유만으로 화를 내었던 게. 응석을 부렸던 것이. 그런데 후회도 한두 번이지, 몇 번 꾸니까 나중에는 화가 나더라. 그 장면을 곱씹게 되니까 점점 더 화가 났어. 겨울이 네가 말했잖아. 나라에서 만든 제도인데 그렇게 이상할 리가 없다고. 나도 말이야, 이 세상이 완벽하다고 믿은 적은 없지만 어른들이 정해 놓은 규칙을 어기지 않으면 적어도 안전할 거라고 믿었어. 그렇지만 안전하지 않았잖아.

겨울아, 네가 일했던 곳 말이야. 어른들도 기피하는 부서였데. 스트레스 강도가 높아서 한 달이 멀다 하고 사람들이 바뀌는 곳이었데. 그래서 현장 실습하러 온 애들을 거기에 배치한 거라더라. 그 애들은 쉽게 그만두지 못하니까. 회사에서는 그랬어. 그만두고 싶으면 언제든 그만둘 수 있는 시스템인데 자살할 때까지 버텼겠냐고. 네가 자살한 건 다른 이유라고.

피해자 모임에서는 그랬어. 시스템상으로는 현장실습을 중간에 그만둘 수 있지만 현실적으로는 쉽지 않다고. 담임하고 상담을 하고 학교의 허가를 받아야 그만둘 수 있는데, 학교에서는 취업률을 이유로 허가를 잘 해주지 않는다는 거야. 허가 없이 무단으로 그만둘 경우 학교로 돌아갈 수 없게 되고, 남은 계약기간이 모두 무단결석으로 처리돼. 그럼, 다른 현장실습에 지원할 때에도, 진로를 틀어서 대학 진학을 하려 할 때도 불이익을 받게 되지.

"그뿐만이 아닙니다. 심리적인 요인도 커요. 성인도 처음 회사에 입사하면 조직의 거대함에 당황하게 됩니다. 첫 회사가 월급도 제대로 안 주고, 누가 봐도 이상한데 쉽게 퇴사하지 못했다는 사람들 많잖아요. 이 회사에서 못 버티면, 다른 곳에 가서도 버티지 못하는 거 아닐까. 1년도 안 되어서 퇴사하면 주변에서 나를 어떻게 볼까. 내가 너무 책임감이 없는 게 아닐까. 그런 생각을 하게 된단 말이죠. 하물며 현장실습 나가는 애들은 미성년자예요. 어른이 아니라고요. 정보나 경험, 모든 면에서 성인보다 취약해요. 아이들은 학교를 믿습니다. 학교가 학생인 자신에게 나쁜 일을 할 리 없다고 믿어요. 요즘 애들은 학교에 대한 신뢰가 없다느니, 교권이 땅에 떨어졌다느니 해도 말이죠. 학교가 학생에게 불법을 저지르진 않을 것이다. 이 정도는 믿는 게 당연한 것 아닙니까? 애들은 학교를 믿어서 괴로움을 겪은 거예요. 그런 일이 일어나게 두고, 제대로 후속 조치도 취하지 않은 어른들은 앞으로 애들에게 말할 수 있을까요. 학교를 믿으라고 말입니다."

피해자 모임 말이야. 아빠와 엄마는 결국 그 모임에 가입하지 않았어. 우리는 피해자가 아니라고 도움을 주겠다며 찾아온 사람들에게 화를 냈어. 모임에서 나온 사람은 나한테 부모님을 원망하지 말라고 했어. '피해자'라는 단어를 꺼리는 사람이 많다고 해. 자신의 아이가 '피해자'라는 걸 인정하면, 자기가 아이를 지키지 못한 것 같은 죄책감을 느껴서 그렇다나. 좋은 사람이었어. 그래서 나는 원망하지 않겠다고 거짓말을 했어.

겨울아, 나는 몰랐어. 열아홉 살에 삶이 멈춘 아이들이 그렇게 많은 줄을. 그 애들을 거기까지 몰고 간 어른들, 너를 'SAVE 팀'에 배치한 사람은 말이야. 진짜 열아홉 살 미성년자가 그 일을 감당할 수 있다고 믿었을까? 아니면 그들은 네가, 그 아이들이 열아홉 살이라는 걸 잊어버렸던 걸까? 수능날 아침에는 경찰도 '고3'을 도와준다고 하잖아. 그런데 왜 겨울이 너는, 그 아이들은, 도와주지 않았던 거지? 일을 하는 열아홉 살은 '고3'이 아닌 걸까? 또래보다 조금 더 빨리 학교 밖으로 걸어 나간 것뿐인데 그 이유 하나로 어른으로 취급받은 걸까. 그러니 네 일은 네가 알아서 하라고 안전선 너머로 밀어버린 걸까. 그게 어른들이 그토록 말했던 규칙이라면, 이 세상에는 애초에 규칙 따위는 없었던 거야.

다시 꿈을 꾸면, 그 복도로 돌아간다면, 너에게 말할 거야.

믿지 말라고.

그 믿음이 저주가 되어 너를 집어삼킬 거라고.

기이이잉. 기다란 전자음이 훅, 귀 안으로 밀려 들어왔다. 곧 피아노 소리가 더해진 음악은 동굴 안에서 휘몰아치는 바람이 되었다. 나는 운동장에서 눈을 떼고 고개를 돌려 옆을 봤다. 길게 쓴 편지는 내가 눈을 뗀 순간 휘발되어 사라져 버렸다. 바람 같은 음악 소리는 이세원의 플레이어에서 흘러나오고 있었다. 느리고 음산한 피아노 건반 소리에 여자의 목소리가 뒤섞였다. 여자의 목소리가 말이라도 건 듯, 나는 불쑥 말했다.

"난 죽고 싶은 게 아니에요. 그냥……."

이세원은 나를 물끄러미 바라보았다.

"그럼, 왜 여기 왔는데?"

'죽으려는 게 아니라 그냥 뛰어내리려는 것뿐이에요.' 라고 말하면 이세원은 내가 이세원을 수상하게 봤던 것보다 열 배쯤은 더 나를 수상하게 여길 거다. 나는 이세원에게 어디부터, 어떻게 이야기해야 좋을지 알 수 없었다. 운동장에 적은 길고 긴 편지의 수취인은 이세원이 될 수 없었기에 더욱 그랬다. 이세원이 재차 물었다.

"무섭니?"

"뭐가요?"

나른한 노랫소리와 달리, 내 목소리는 날카롭게 튀어나갔다. 무섭다니, 뭐가? 뛰어내리는 것은 무섭지 않다. 무섭지 않을 거라고 수백 번은 더 되뇌었다. 눈을 감고 있으면 모든 게 끝날 거라고. 조금 아플지는 몰라도, 그 아픔은 차가운 강으로 떨어진 겨울의 추위에 비하면 아무것도 아닐 거라고. 애써 스스로에게 최면이라도 걸듯이 되뇌었던 건, 사실은 무서웠기 때문이다. 아플 것을 알기 때문이다. 높은 곳에서 한 번도 떨어져 본 적이 없기에, 그 아픔을 상상하는 것은 더욱 두려운 일이었다. 그러니까 여기서 무섭다는 걸 인정해서는 안 된다. 그랬다가는 최면이 풀려서 떨어질 용기가 한순간에 사라져 버릴 것만 같았다.

"잊어버릴까 봐."

이세원의 대답이 순간 내 머릿속에 복잡하게 얽혀 있던 생각을 전부 빼앗아 갔다. 감기인 줄 알고 병원에 갔는데 불치병 선고를 들으면 그렇게 될까 싶게 머릿속이 정지되었다. 내가 멍하니 입만 벌리고 있는 사이, 여자는 노래했다. 헬로, 헬로, 헬로, 하우 로우(Hello, hello, hello, how low?)…. 백지처럼 텅 빈 머릿속에서 가사가 조립되어갔다.

"… 이거 너바나였어요?"

연주도 목소리도 다르지만 분명 『Smells like Teen Spirit』이었다.

"커버곡이야. 'Malia J'라는 가수가 불렀어. 옥상에 올라올 때는 무조건 너바나의 곡을 넣어. 이건 커버곡이기는 해도 채원이가 들으면 좋아할 것 같았지. 그래서 픽했어."

나는 노래를 들었다. 이세원의 손가락이 까닥까닥 리듬을 맞추는 것을 보며 노래를 흘려보내다가 깨달았다. 이세원의 말에 왜 순간 사고의 톱니바퀴가 정지된 것인지, 그 이유를.

정곡을 찔렸으니까.

겨울이 사라지고 내내, 나는 지독한 불안에 시달렸다. 반복되는 꿈과, 후회와 분노가 번갈아가며 내 감정을 들끓게 만들었지만 그 바탕에 있는 것은 불안이었다. 이미 겨울이는 죽었다. 더 최악의 일이 일어날 수는 없다. 그런데 나는 대체 무엇이 불안한 건지 이해할 수가 없어서, 나의 불안을 인정할 수가 없었다.

'잊어버릴까 봐 그래. 그거였어. 나의 불안.'

거울을 보면 그 안에는 지금까지의 겨울이 있다. 나와 겨울은 쌍둥이니까, 적어도 나만은 겨울을 잊어버릴 일은 없을 거라 생각했다. 그러나 장례식을 마치고 온 날, 겨울의 목소리가 기억나지 않았다. 아, 하고 목소리를 내 봤지만 그건 그저 나의 목소리일 뿐이었다. 겨울이 어떻게 웃었는지, 어떤 식으로 말했는지도 기억나지 않았다. 그뿐만이 아니었다. 겨울이 밥을 먹을 때는 어떤 습관이 있었는지, 화가 나면 어떤 표정을 지었는지, 무슨 음식을 좋아했고, 무서워할 때는 어떻게 반응했었는지도 이상할 정도로 기억이 나지 않았다. 내 안에 담겨 있는 겨울의 파편은 작았다. 나는 아빠가, 엄마가 가진 파편을 나누어 받고 싶었다. 겨울의 친구들과, 겨울을 아는 사람들의 파편을 모아 이어 붙이고 싶었다. 파편이 큰 덩어리가 되면, 잊어버린 겨울을 떠올릴 수 있을 것 같았다.

하지만 아빠와 엄마는 겨울에 대해 이야기하지 않으려 했다. 아빠가 술을 마시고 돌아와 소리를 지를 때를 빼고는 겨울의 이름을 말하는 것조차 꺼려했다. 그래서 나는 더욱더 사람들이 겨울의 싸움을 기억해 주기를 바랐다. 미디어가, 사람들이 겨울에 대해 알고 싶어 하면 아빠와 엄마도 어쩔 수 없이 입을 열 터였다. 죄송하다는 말만 남기고 사라진 겨울의 친구들도 좋든 싫든 다시 나타나야 할 터였다. 나는 그 애들이 너무 싫었지만, 그 애들은 내가 알지 못하는 겨울의 파편을 나누어 줄 터였다. 그러니 나타나기만 하면, 나도 장례식장에서 엄마가 그러했듯이 그 애들을 안아주고 모든 걸 용서한 척을 하겠노라 마음먹었다.

그러나 아무도 겨울을 기억하려 하지 않았다.

겨울이 떠나고 일주일이 지났을 때, 학교에서 집으로 돌아오는 버스 안에서 나는 웃었다. 버스에 설치된 작은 스크린에 나온 무언가를 보고, 웃었다. 웃고 나서 화들짝 놀라 입을 가렸다. 그 순간 무서워졌다. 언젠가 상처를 뒤덮은 딱지처럼 일상이 슬픔을 덮어 버리면 어떻게 되는 걸까. 시간이 많이 흘러, 지금과 얼굴이 달라지면 거울을 봐도 무엇도 떠올리지 않게 될지도 모른다. 내 얼굴이 그저 내 얼굴로만 보이게 되는 그날이 오는 것이 무섭다. 그러나 그날이 올 것임을 안다. 와야 한다는 것도 안다. 그러나 그것이, 침묵이, 겨울을 일방적으로 지워 버리는 방식인 것은 받아들일 수 없었다.

'… 나를 위한 일이었구나. 결국.'

겨울을 위한 일이라고 생각했다. 겨울아, 나는 너의 싸움을 알리기 위해 이곳에서 뛰어내리는 거야. 그러니까 너는 나를 용서해야 해. 네가 그 차가운 물속으로 가라앉을 때까지 아무것도 하지 않은 나를 원망해서는 안 돼. 그런 비겁한 속마음을 가리고 정의로운 척을 했다. 멈추었던 톱니바퀴가 다시 굴러갔고, 나는 무릎에 얼굴을 파묻었다. 내 옆에 정말 겨울이 있다면, 차마 겨울을 마주볼 수 없을 정도로 창피했다.

"쉽게 괜찮아질 거라는 위로는 못하겠다. 아직 나도 무섭거든."

노래는 이미 멈췄다. 버튼 누르는 소리가 나고 다시 노래가 시작되었다.

'겨울이도 이 버전, 좋아했을 것 같아.'

너바나의 노래가 좋다며 추천했던 겨울. 겨울은 『Smells like Teen Spirit』의 가사가 좋다고 했다. 가장 노력하는 일을 제일 못한다고, 이것은 신이 내려주신 재능이라는 부분의 가사가 꼭 자기 이야기 같다며 흥얼거렸다. 플레이어에서 나오는 여자의 목소리는 겨울과 닮았다. 나는 고개를 들어 옆을 봤다. 이세원은 펜스 위쪽을 붙잡고 서, 좁은 난간 위에서 박자를 타고 있었다. 나는 느린 단조의 리듬에 맞추어 톡, 톡

가볍게 땅을 치며 움직이는 이세원의 발을 바라보았다.

"춤을 추기에는 원곡 쪽이 좋은 것 같은데."

"그런가? 그래도 애도에는 이쪽이 어울려."

이세원은 친구의 귀신이 찾아오기를 기다리며 록을 튼다고 했다.

'이 사람도 잊어버릴까 봐 무서웠던 걸까.'

그렇지만 이세원은 떨어지는 대신 춤을 추고 있다. 어떻게 저럴 수 있을까. 열아홉을 넘기고 스무 살이 되면, 성인이 되면 나도 저렇게 될 수 있을까. 이세원은 5년간 이곳을 찾았고, 오늘 내게 채원의 이야기를 했다. 채원에 대한 파편을 잊어버리지 않고 고이 간직하고 있다가 그것을 내게 전달했다. 아마 앞으로 나는 종종 채원을 떠올리게 될 것이다. 채원의 얼굴도 모르지만, 비가 오는 날이면 운동장에서 비를 맞으며 춤을 추는 뒷모습을 상상하게 될 것이다. 상상 속의 뒷모습을 바라보고 있자니 나도 언젠가, 겨울의 파편을 끌어안고 있다가 누군가에게 전해주고 싶어졌다.

"붕어빵"

"예?"

박자를 타던 이세원이 불쑥 말했다.

"붕어빵 사러 갈 때 가끔 봤어. 너희 둘. 쌍둥이라서 눈에 띄더라. 뉴스도 봤어. 뉴스에 얼굴이 제대로 나오거나 하는 건 아니니까 그게 네 동생 일인 건 몰랐지. 붕어빵 사러 갔다가 알았어. 그게 그 쌍둥이한테 벌어진 일이구나 싶었어."

"붕어빵……."

"붕어빵 사러 한번 가. 아저씨가 네 걱정을 엄청나게 하고 있어. 한 번도 안 갔지?"

"붕어빵을 좋아하던 건 내가 아니에요."

"아저씨가 회사에 사과를 촉구하는 서명을 받고 있어. 붕어빵 사러 온 사람마다 붙들고 말해. 내가 걔를 몇 년을 봤다고. 요만한 초등학생 때부터 봤는데, 이유 없이 그런 선택을 할 애가 아니라고. 현장실습 나갔다가 사고 당한 사례랑, 제도의 문제점을 정리한 전단지도 이만큼 뽑아서는 서점에 놓아 두셨더라. 나한테도 서명해 달라고 하셨어. 엄청 화내시더라. 애한테 그렇게 힘들 일을 시켜놓고 사과도 안 하는 것들이 인간이냐고."

있었다. 겨울의 싸움을 잊어버리지 않은 사람이. 겨울의 파편을 이어 붙여 줄 누군가가. 떠오르지 않던 겨울의 웃음이 귓가에서 재생되었다. "언니, 이것 봐. 붕어빵 사러 갔는데 아저씨가 붕어빵을 안 구운 거야. 오늘 춥다고 포장마차를 아예 안 열었다는 거 있지. 내가 추울수록 붕어빵이 맛있다고 투덜거리니까 유자차 줬어. 앞으론 11월 되자마자 붕어빵 굽고, 아무리 추워도 문 안 닫겠다고 약속도 했어. 서점 아저씨 진짜 상냥해." 종이컵을 양손으로 부여잡고 웃던 겨울의 기억이었다. 눈시울이 시큰 달아올랐다. 가만히 있으면 눈물이 나올 것 같아서 자리에서 일어섰다.

"그래서 나한테 말 건 거예요?"

"절반쯤은."

"절반은요?"

"혼자 춤추기가 좀 지겨워져서."

노래는 다시 한 바퀴를 돌았다. 나도 느릿하게 박자를 탔다. 이세원의 움직임을 따라 춤추듯 발로 땅을 톡톡 쳤다. 새벽의 찬바람에 얼어붙어 있던 뺨에 조금 온기가 올랐다. 나는 이세원에게 후회한 적 없냐고 물어보고 싶었다. 그러나 돌아올 대답을 알기에, 잠자코 발을 움직였다. 조금씩 나와 이세원의 움직임이 어우러졌다. 노래의 끝자락을 붙잡고 흥얼거릴 때, 하늘 한쪽이 밝아왔다.

노릇하게 잘 익은 붕어빵의 색이었다.

어느 멋진 날

정명섭

내 이름은 고동철, 올해 고3이 되었다. 가까운 친구들은 똥철이나 똥파리라고 부르고, 그렇지 않은 친구들은 '고독'이라고 부른다. 사실 앞의 별명으로 부르는 친구는 사라졌고, 뒤의 별명으로 부르는 친구들만 남았다. 그럴 만도 했다. 괴롭히기에는 사이즈가 안 나왔고, 그렇다고 친구로 삼을 만한 장점이 없었기 때문이다. 160센티미터를 겨우 넘는 키에 몸무게는 80킬로그램을 왔다 갔다 했다. 턱은 두겹을 넘어서 세겹이라 가끔 삼겹살이라고 부르는 친구도 있었다. 공부는 못하는 편에 가까웠고, 몸 상태가 상태이니만큼 잘하는 운동도 없었다. 노래를 잘 부르거나 춤을 잘 추는 것 같은 특별한 재주도 없었고, 그렇다고 말주변이 좋아서 친구들을 웃기는 능

력도 없었다. 한 마디로 존재감을 전혀 드러낼 구석이 없었다. 덕분에 괴롭힐만한 이유도 없는 존재라 나는 투명 인간이라고 생각하기도 했다. 누구 눈에도 띄지 않는 못 생기고 뚱뚱한 녀석. 돈도 없고, 재주 하나 가진 것 없는 학생인 셈이다. 학교를 배경으로 좀비가 나타나거나 외계인이 쳐들어오거나 연쇄살인마가 나타나면 비명을 지르며 이리저리 달려가다가 초반에 죽는 학생 1이 바로 나라고 할 수 있다.

집안도 엉망이었다. 아빠는 돈을 모아서 문을 연 치킨집이 장사가 잘 안되어서 문을 닫은 이후에는 내내 술에 빠져 살았고, 엄마는 그런 아빠 대신 일하느라 힘들어했다. 그래서 집안에서는 매일 말다툼이 벌어졌다. 거기에 아빠의 엄마, 그러니까 할머니가 끼어들면 일이 더 복잡해졌다. 두 분이 싸우는 내내 방에 콕 처박혀 있다가 끝날 즈음에 문을 열고 나와서 우리 아들 괴롭히지 말라고, 넌 잘난 게 뭐가 있냐고 엄마의 속을 박박 긁었다. 그런 할머니를 뜯어말리는 게 내 몫이었다. 그러면 할머니는 버르장머리 없는 것이 엄마 편만 든다고 또 역정을 냈다. 그런데 며칠 전부터 느낌이 안 좋았다. 아빠와 할머니가 뭐라고 하면 한 마디도 지지 않고 쏘아붙이던 엄마가 침묵을 지키고 있었던 것이다. 분명히 싸울만한 타이

밍인데 그냥 알겠다고 말만 하고는 넘어갔다. 대신, 설거지를 하다가 갑자기 멍하니 창밖을 보거나 평소에 안 보던 책을 보면서 차를 마시는 모습이 보였다. 뭐든 움직여야 직성이 풀리는 엄마의 평소 성향과 너무나 달랐다. 혹시나 하는 마음에 불안했지만 내가 할 수 있는 건 없었다. 그런 상황이니까 남들은 대학에 갈 준비에 열심인 고등학교 3학년 시절을 불안감, 초조함과 함께 보내는 중이었다. 오늘은 그런 불안한 날들이 정점을 찍은 시간이었다. 폭풍 전야 같은 느낌을 받았기 때문이다. 반면에 반 아이들은 어느 학원의 어떤 선생이 실력이 좋고, 누가 이번 모의고사를 잘 보고, 망쳤는지에 대한 얘기를 주고받았다. 하지만 나는 그런 건 관심도 없고, 관심을 가질 상황도 아니었다. 고등학교에 들어와서 유일하게 친구로 지낸 범진이가 지방으로 전학을 가야만 했기 때문이다. 자세한 얘기는 하지 않았지만 컴퓨터 프로그래머였던 아빠의 건강이 심하게 안 좋아져서 고향으로 내려가는 것 같았다. 전학 관련 상담을 하러 온 범진이 어머니는 두 눈이 퉁퉁 부어 있었다.

나를 똥철이라고 부르는 유일한 친구가 학교에서 떠나는 날이 바로 오늘이었다. 나와 다르게 두루 친구들이 많았고, 늘 명랑하고 쾌활하던 범진이는 유독 말이 없어졌다. 전학 관련 서류가 다 처리되고, 이삿짐까지 다 빠진 날, 마지막으로 등교한 범진이는 꽃다발과 선물을 잔뜩 받았다. 친구들과 인사를 나눈 범진이가 나에게 다가왔다. 사실, 오지 않아도 되었는데 참 좋은 친구라는 생각에 속으로 울컥했다. 그런 내 마음을 눈치라도 챘는지 범진이가 말했다.

"왜? 슬프냐?"

"슬프긴, 기뻐 죽겠다."

"끝나고 뭐하냐? 혹시 학원 같은 데 가는 거 아니지?"

"그럴 상황 아니라는 거 잘 알면서 지랄이야."

욕을 하긴 했지만 별로 화가 나거나 그러지는 않았다. 다만, 범진이가 내 곁을 떠난다는 게 아쉬울 뿐이었다. 범진이가 그런 내 마음을 알아차렸는지 어깨에 손을 올렸다.

"나랑 PC방 갈래, 똥철아."

"게임하자고?"

"어, 저기 사거리 쇼핑센터 지하에 PC방이 새로 오픈했잖아. 특별할인 한대."

"사거리면 멀잖아. 별론데."

걷는 건 딱 질색인 내가 말하자 범진이가 어깨를 으쓱하며 말했다.

"내가 쏠게."

"집안이 쫄딱 망한 주제에."

가까운 사이가 아니라면 선을 넘는 발언이었겠지만 범진이는 대수롭지 않게 생각하는지 평소 습관대로 코를 한번 움찔하고는 웃었다.

"가자. 늦으면 직장인 아저씨들이 와서 자리 없을 거야."

어쩐지 내키지 않았지만 범진이가 쏜다고 하니까 안 갈 이유가 없었다. 반장이 교무실에서 가져와서 나눠주는 휴대폰을 챙긴 다음 복도에 있는 사물함으로 갔다. 사물함을 열고 낡은 가방을 꺼내서 한쪽 어깨에 둘러메고 돌아서는데, 바로 앞에 연성이 패거리가 서 있는 게 보였다. 속으로 망했다고 생각하면서 못 본 척 돌아서는데 연성이의 걸걸한 목소리가 들렸다.

"야, 고독. 어디 가?"

주변을 두리번거리며 범진이를 찾았지만 녀석은 이럴 때만 꼭 안 보였다. 내가 머뭇거리며 말을 하지 못하자 연성이가 다가와서 목덜미를 잡았다. 살짝 잡은 것처럼 보였지만 키가 180센티미터에 중학교 때까지 유도를 했던 녀석이라 손아귀 힘이 장난이 아니었다. 복도 끝을 보니 국어 선생님이 보였지만 이쪽을 슬쩍 보고는 왔던 길로 돌아가서 도서관으로 들어가 버렸다. 짜증이 확 났지만, 이해가 갔다. 아이들이랑 잘못 얽혀서 힘들어하는 선생님들을 너무 많이 봤기 때문이다. 더군다나 투명 인간 취급을 받는 나를 위해 학교에서 잘나가는 연성이를 나무란다는 것은 너무나 큰 위험성이 있었다. 이런저런 생각을 하는 사이 연성이가 목덜미를 잡고 흔들었다.

"야, 내 말이 말 같지 않아? 씹는 거야. 지금?"

목덜미가 파일 것 같이 아팠지만 얼른 대답을 하지 않으면 그 다음 단계인 목조르기에 들어갈 게 뻔했기 때문에 서둘러 대답했다.

"버, 범진이랑 PC방 가기로 했어."

"야, 너한테도 친구가 있구나. 응."

연성이의 말에 패거리들이 키득거렸다. 특히, 몇 달 전까지는 나랑 비슷하게 따돌림의 대상이었던 혁준이가 더 크게 비웃고 있었다. 어쩌다 연성이 패거리에 들어가고 난 다음부터는 더 열심히 설치고 다녔다. 그래서 범진이를 비롯한 친구들은 박쥐 같은 놈이라고 손가락질했지만 나는 이해가 갔다. 어렵게 패거리가 되었으니 절대로 쫓겨나고 싶지 않았을 테니까 말이다. 친구라는 말에 서글퍼진 나는 고개를 들어 연성이를 바라봤다.

"맞아, 나도 친구가 있어. 오늘이 마지막이겠지만."

순식간에 주변이 조용해졌다. 연성이는 학교의 숨은 일진이었다. 작년에 전학을 왔지만 단숨에 학교를 평정해버린 것이다. 대개 머리가 좋으면 힘이 약하고, 힘이 세면 머리가 나쁘기 마련인데 연성이는 힘이 세면서 머리도 좋은 편이었다. 유도를 했기 때문인지 상대방을 순식간에 걸어서 넘어뜨리거나 손아귀 힘을 이용해서 제압했다. 그러면서도 머리가 좋아서 위험할 만한 행동을 하지는 않았다. 덕분에 별 어려움 없이 학교의 숨은 일진으로 등극했다.

대놓고 자기가 짱이라고 하고 다니는 놈들은 몇 명 있었지만 연성이는 결코 자기 입으로 그런 적이 없었다. 하지만 학생들도, 그리고 선생님이나 심지어 학교 보안관 아저씨도 모두 연성이가 이 빌어먹을 고등학교의 가장 꼭대기에 있다고 암묵적으로 인정했다. 눈에 띄게 행패를 부리거나 돈을 뜯지 않았고, 대놓고 왕따를 시키거나 괴롭히는 것도 없었다. 자기 패거리를 시켜서 움직였고, 문제가 생기면 은근슬쩍 발을 뺐다. 결국 문제가 터져도 눈에 띄는 패거리만 처벌을 받는데 그쳤다. 신고한 아이들은 결국 흐지부지되는 상황에 못 이겨 마치 죄인처럼 전학을 가고 말았다. 모두 다 누가 진짜 배후인지 알았지만 입을 열지 않았다. 그럼에도 불구하고 패거리에 들어가고 싶어 하는 애들은 많았다. 어쨌든 학교를 다니는 내내 특히, 3학년이 되면서부터는 아예 학교 선생님들도 건드리지 못했다. 문제가 생기면 대학교 진학이 어려워질 수 있기 때문인 것 같았다. 그런 상황에서 나 같은 아싸가 눈을 똑바로 뜨고 연성이에게 말대꾸를 한다는 건 있을 수 없는 일이었다. 웃고 있던 패거리들 역시 싸늘해진 분위기를 느꼈는지 입을 다물었다. 하지만 연성이는 뜻밖에도 목을 잡고 있던 손을 풀었다.

"그래, 굉장히 슬픈 날이구나. 너한테는."

마치 다정하게 달래주는 것 같은 말투라서 나도 모르게 고개를 끄덕였다. 하지만 곧 아랫배에 꽂힌 강펀치는 그런 생각을 송두리째 날려버렸다. 숨이 멎을 것 같은 통증에 나도 모르게 침이 섞인 한숨을 내쉬었다. 그러자 얼굴을 찌푸린 연성이가 다시 목을 잡았다.

"지저분한 녀석 같으니, 내 눈에 안 띄면 잘 지낼 줄 알았어?"

사물함에 뒤통수가 닿으며 차가운 느낌이 들었다. 그러면서 머리 한 구석으로 분노가 치밀어 올랐다. 못생기고 뚱뚱하고, 돈 없고, 공부를 못한다는 이유로 사람 취급도 받지 못하면서 이렇게 괴롭힘을 당하는 게 너무 분하고 억울했던 것이다. 그냥, 제일 친한 친구가 떠나기 전에 마지막으로 같이 놀러가는 게 이렇게 두들겨 맞고 비웃음을 당할 일인지도 이해가 가지 않았다. 축 쳐져있던 손에 차츰 힘이 들어가면서 주먹을 쥐게 되었다. 바로 그 순간, 아래층에서 뛰어 올라온 연성이 패거리가 외쳤다.

"학주 떴어."

학년 주임은 학교 내에서 그나마 연성이가 눈치를 보는 축에 속했다. 내년에 교감을 단다는 소문이 돌고 있었고, 꼰대 마인드라 학생들이 개기는 걸 딱 질색했기 때문이다. 얘기를 듣자마자 연성이는 목을 잡고 있던 손을 놨다.

"운이 좋은 줄 알아. 담에 보자."

연성이 패거리는 빠르게 복도 너머로 사라졌다. 그러자 복도 여기저기에 흩어져서 구경하던 학생들이 뿔뿔이 흩어지거나 교실로 들어가버렸다. 계단을 올라온 학년 주임이 심상치 않은 낌새를 챘는지 걸음을 멈추고 돌아섰다. 걸리면 귀찮아지는 건 나한테도 해당되는 얘기라서 일단 돌아서서 사물함을 닫는 척했다. 다행히 학년 주임은 급한 일이 있는지 바로 발걸음을 옮겼다. 순식간에 벌어진 일에 머리가 어지러웠다. 그 때 화장실에서 나온 범진이가 물었다.

"무슨 일 있었냐?"

아무것도 몰랐는지, 혹은 모른 척한 범진이의 물음에 살짝 어이가 없어서 반문했다.

"화장실 간 거였어?"

"어, 급똥이 와서 말이야. 가자."

학교 앞은 학원에서 온 승합차와 부모들이 몰고 온 차들로 북적였다. 가방을 맨 아이들은 승합차와 승용차에 실려서 학원으로 갔다. 덕분에 정문은 아수라장이었고, 나와 범진이는 정문 옆에 있는 벤치에 앉아서 잠깐 기다리고 있었다. 쉴 새 없이 아이들을 싣고 떠나는 차들을 보면서 투덜거렸다.

"꼭 노예들 같네."

"공부 노예들 말이지? 고3이 제일 혹독한 공부 노예잖아."

"이놈의 세상, 진짜 마음에 안 들어. 확 없어져 버렸으면 좋겠어."

내 얘기를 들은 범진이가 피식 웃었다.

"야, 아무리 학교가 싫어도 무슨 세상까지 미워하고 그래."

"씨발, 왜 학교가 이 모양인데? 세상이 개판이라서 그런 거잖아. 학교는 사회의 거울이니까."

"야, 애가 좀 똑똑해졌네. 또 유튜브 본 거야?"

"그래, 거기 잘 나와 있더라."

"세바오?"

범진이의 물음에 나는 고개를 끄덕거리다가 물었다.

"내가 너한테 그거 본다고 얘기한 적 있었어?"

범진이가 잠깐 생각을 하다가 대답했다.

"해준 적 있잖아. 왜 발뺌하는데?"

"아니, 기억이 잘 안 나서 말이야. 맞아, 세상을 바꾸는데 필요한 오분."

"그걸 줄여서 세바오라고 한다며?"

아무리 생각해도 범진이에게 그 얘기를 한 기억이 없지만 괜히 기분 상하게 하고 싶지 않았던 나는 맞다고 대답했다.

"대개 5분 컷이라서 보기 되게 편해."

"거기서 뭐라는데?"

"세상을 기득권으로부터 구해야 한다고 해."

내 얘기를 들은 범진이가 관심을 보였다.

"어떻게?"

"그들의 정체를 알아차리고, 의도를 파악한 다음에 기회를 노리는 거지."

"완전 게릴라네. 게릴라."

범진이가 키득거리며 다리를 떨었다. 나는 아이들을 끊임없이 잡아다가 끌고가는 승합차와 부모들의 차를 보면서 진지하게 말했다.

"끊임없이 경쟁을 시켜서 단합을 막고, 자신들의 이익을 취하지. 그나마 경쟁 역시 불공정하게 진행해서 자기에게 유리한 쪽으로 이끌어. 그래서 사람들 사이에 분열과 좌절을 안겨주면서 자신들의 지배권을 공고하게 만들고 있지."

"야, 대단하네. 요즘 고3은 그런 것도 알아야 해?"

비꼬는 건지 감탄하는 건지 알 수 없는 범진이의 말에 나는 고개를 끄덕거렸다.

"그럼, 너 지난번에 영어 시험 망쳤지?"

"어, 열심히 했는데 개판으로 봤어."

"그렇게 영어 공부해 봤자 미국 사람 앞에 서면 한 마디도 못한데. 우리가 배운게 영어가 아니라서 말이야."

"그럼 뭔데?"

"정확하게는 문법이지. 영어 문법. 미국 사람들도 잘 모르는 문법. 그러니까 영어를 하려고 해도 문법에 맞는지 틀리는지 고민하다가 버벅거리잖아. 그러니까 학교에서 우리에게 영어를 가르치는 건 미국사람들과 영어를 하려고 하는 게 아니야."

"그럼?"

"시험 성적을 위한 줄 세우기지. 과외 많이 하고, 원어민에게 배울 가능성이 높은 학생들에게 유리하게 말이야. 그들이 커서 누구 편을 들겠어? 안 그래."

"그렇긴 하지."

범진이가 씁쓸한 표정을 지으며 고개를 끄덕였다. 조심스러웠지만 용기를 내며 말을 이어갔다.

"다른 과목도 마찬가지야. 실생활에 필요한 건 가르치지 않고 과외 많이 하고, 공부 많이 할 여유 있는 학생들만 시험을 잘 볼 수 있게 만든 거야. 그러다가 시간이 지나서 변별력이 떨어지니까 논술 카드를 갑자기 꺼낸 거지. 그런 식으로 세상을 자기들만 성공할 수 있도록 만든 거야."

"기울어진 운동장이라 이 말이지."

"완전 기울어진 거지. 그러니까 가난하면 아무것도 못하고 그저 가난을 물려주는 것 밖에는 못하는 거야. 세상이 좋아지고 기술이 발전한다고는 하지만 그 열매는 모두 가진 자들이 챙기는 거지. 우리는 이솝우화에 나오는 여우처럼 먹지 못하는 포도를 신 포도라고 생각하는 것 밖에는 하지 못해."

"우와, 유튜브 보더니 말이 술술 나오네. 진즉 그렇게 했으면 친구들도 사귀고 좋잖아."

차들이 슬슬 빠질 시점이라 벤치에서 일어났다. 그러자 범진이도 따라 일어나면서 말했다. 차를 타고 빠져나가는 아이들을 본 나는 툭 내뱉었다.

"노예들이랑 가까이 할 생각 없어."

너무 센 발언이 아닌가 싶어서 살짝 걱정했지만 범진이는 어깨를 으쓱이며 동조의 뜻을 표했다.

"얼른 PC방 가자. 늦겠다."

차들이 사라진 정문을 지나 야트막한 내리막길을 걸었다. 오래된 문방구와 분식집들이 줄지어 있었고, 근처 초등학교와 중학교에서 온 꼬마들이 나란히 앉아서 먹었다. 그걸 본 범진이가 내 어깨를 툭 쳤다.

"너도 저기서 떡볶이 먹었냐?"

"저기 말고 저 옆에 있는 할머니 분식집에서 주로 먹었어. 짜볶이가 맛있었거든."

"짜볶이는 또 뭐야?"

범진이의 물음에 나는 별 걸 다 물어본다는 표정을 지었다.

"짜장 떡볶이. 오늘 왜 이렇게 꼬치꼬치 묻는 거야?"

내 질문에 움찔한 범진이가 대답했다.

"전학 가서도 너를 기억하려고 그런다! 왜?"

눈을 가늘게 뜬 범진이를 본 나는 또 겁이 났다. 어릴 때부터 항상 손가락질을 받는 게 일상이었고, 공부를 못한다고 무시 당하기 일쑤였다. 그래서 누군가 나에게 실망하는 것이 극

도로 무섭고 싫었다. 범진이 역시 마찬가지였다. 비록 아까처럼 도움이 필요할 때 없었던 적이 있긴 했지만 어쨌든 내내 친하게 지낸 유일한 친구였다. 비록 다시 만나기 어렵겠지만 그런 친구를 실망시키는 것은 피하고 싶었다. 어색한 웃음으로 넘긴 나는 화제를 돌렸다.

"가서 무슨 게임할까?"

"스트레스 풀리게 FPS 어때?"

"요즘 할 만한 게 있나?"

"아니면 소환사의 협곡으로 갈까?"

범진이가 신이 났는지 키득거리며 말했다. 분식집과 문방구들이 있는 좁은 학교 앞 길이 끝나고 버스가 다니는 큰 길이 보였다. 근처 중학교와 초등학교 아이들이 버스 정류장에 구름처럼 몰려 있는게 보였다. 걷기에는 살짝 부담이 되어서 버스를 타고 갈까 했는데 어려울 거 같았다. 범진이도 같은 생각이었는지 눈을 찡긋거리며 말했다.

"그냥 걸어갈까?"

"오케이"

가방을 추스르고 인도를 따라 걸었다. 며칠 전에 오픈한 돈가스 가게에서 내놓은 풍선 인형이 마치 사람처럼 팔을 펄럭거리며 어서 들어오라는 표정을 지었다. 그 옆을 무심하게 지나간 나는 사람들 사이를 천천히 걸었다. 앞서거니 뒤서거니 걷던 범진이가 슬쩍 물었다.

"너는 고등학교 졸업하면 뭐할거야?"

"알바하다가 군대 가야지."

"대학은?"

범진이의 물음에 나는 쓴웃음을 지었다.

"그딴 데는 가서 뭐 하게?"

"그래도 대학 졸업장은 있어야 어디 가서 취직이라도 할 수 있지."

"어차피 인서울도 힘든데."

지난번 시험 성적표를 받아 본 엄마가 딱 잘라 말했다. 서울은 모르겠지만 지방은 대학에 합격해도 보내줄 능력이 안 된다고 말이다. 어느 정도 각오는 하고 있었고, 이미 다른 계획이 있었기 때문에 그냥 알겠다고 하고 물러났다. 술에 취한 아버지는 엄마를 닮아서 공부를 못한다고 잔소리를 늘어놨다. 할머니 역시 엄마가 제대로 자식을 가르치지 못했다고 투덜거렸는데 엄마는 그냥 못 들은 척 빨래를 했다. 엄마의 그런 태도가 더 신경 쓰여서 아무 말도 못했고, 아빠는 그런 나를 보고 다 큰 놈이 눈치만 본다고 짜증을 냈다. 뭐라고 한 마디 하면 이마에 피도 안 마른 녀석이 대꾸한다고 화를 냈던 걸 까맣게 잊어버린 것이다. 엄마도 싫고, 아빠도 싫고, 할머니도 싫고, 학교도 싫고, 나를 괴롭히는 모든 게 싫었다. 특히 고3이 되자 공부를 못하면 사람 취급도 안하는 분위기에 숨이 막힐 정도로 괴로웠다.

"무슨 생각을 그렇게 해?"

어느 틈엔가 앞장서 걷던 범진이가 돌아서서 뒷걸음질로 걸으며 물었다. 나는 범진이를 무심하게 바라보면서 대답했다.

"그냥."

"넌 생각이 많은 거 같은데 티를 잘 안 내는구나."

"중학교 때 내 별명이 뭔 줄 알아?"

"뭔데?"

나는 목을 움츠리고 고개를 푹 숙인 채 대답했다.

"거북이"

"왜? 달리기가 느려서?"

"아니, 항상 고개를 숙인 채 땅만 보고 걷는다고 해서. 사실, 그런 별명으로 불린지도 몰랐어. 나중에 길거리에서 만난 중학교 동창이 알려줘서 알았지. 네 별명이 뭐였는지 알고 있냐면서 말이야."

씁쓸한 표정으로 얘기하는 나를 본 범진이가 물었다.

"기분이 어땠냐?"

"엿 같았지. 나도 모르는 별명을 불러가면서 수군거렸다는 걸 나중에 알았으니까. 하지만 차라리 그때가 더 나아."

그게 무슨 뜻인지 알아차린 범진이가 나랑 비슷한 씁쓸한 표정을 지었다. 그렇게 버스와 차들이 바쁘게 지나가는 큰 길을 따라 쭉 걷자 학원 간판들이 보이는 건물들이 옹기종기 모여 있는 사거리가 나왔다. 아래층에는 오락실 간판이 있고, 위층에는 학원과 원룸 간판들이 다닥다닥 붙어있는 한 건물을 본 범진이가 피식 웃었다.

"스트레스를 풀기도 하고 받기도 하는 건물이네."

그곳을 지나자 5층 정도 되는 건물이 하나 나왔다. 거기 2층에 고릴라 PC방이라는 간판과 함께 컴퓨터를 한 손에 든 고릴라의 모습이 보였다. 1층 출입문 옆에는 특별 할인 기간이라는 글씨와 옆에 컵라면 무료 증정이라는 내용이 적힌 입간판이 서 있었다. 범진이가 내 어깨를 툭 쳤다.

"저기야."

좁아터진 계단을 올라가자 고릴라 PC방이라는 글씨가 적힌 유리문이 보였다. 범진이가 유리문을 열고 들어가자 과자와 컵라면이 진열된 카운터가 보였다. 그곳으로 간 범진이가 하얀 안경을 쓴 알바와 잠깐 얘기를 나누고는 돌아서며 나에게 말했다.

"창가 쪽 34번이랑 35번."

"진짜 쏘는 거야?"

"그럼, 그래야 날 기억할 거 아니냐."

"멋지네."

키득거리며 창가 쪽 자리로 갔다. 컴퓨터가 좀 낡았고, 인테리어도 좀 오래된 편이었지만 공짜로 하는 처지라 그런 걸 따질 상황이 아니었다. 거기다 앉아서 컴퓨터를 켜고 헤드셋을 쓰는데 알바가 쟁반에 작은 컵라면 두 개와 단무지를 놓고 갔다. 재킷을 벗어서 의자에 걸어놓은 범진이가 손가락을 우두둑 꺾으며 자리에 앉았다.

"컵라면 익을 동안 게임 뭐 할지 고르자."

범진이와 뭘 할지 얘기를 나누는 동안 기분이 좀 이상했다. 누군가 지켜보고 있다는 불길한 느낌이어서 중간에 고개를 빼고 주변을 둘러봤다. 사람이 별로 없었고 대부분 고개를 숙인 채 모니터를 보고 있어서 누가 누군지 알아볼 수 없었다. 하지만 입구 쪽에 있던 한 명이 황급히 고개를 숙이는 모습이 보였다. 그쪽을 한참 쳐다보는데 범진이가 말을 걸었다.

"뭐해?"

"어."

자리에 앉아서 일단 소환사의 협곡으로 들어가기로 했다. 하지만 게임 시작 직전, 아까의 일이 계속 마음에 걸렸던 나는 도로 자리에서 일어났다.

"잠깐 화장실 좀."

마침 화장실은 밖에 있어서 입구 근처에 있는 그 자리를 지나가야만 했다. 천천히 걷다가 갑자기 후다닥 뛰어서 아까 누군가 고개를 들었던 자리로 다가갔다. 그러자 그곳에 앉아 있던 혁준이가 세상에서 제일 어색한 표정으로 나를 올려다봤다.

"어, 아, 안녕."

"여기 왜 있어?"

내가 차가운 목소리로 묻자 혁준이가 정색을 했다.

"내가 어디 있든 무슨 상관인데? 게임하러 왔지. 게임."

"너, 게임 안 하잖아. 그리고 집이 반대쪽인 은월동이면서 여긴 왜 와?"

그 사이에 범진이가 무슨 일이냐고 하면서 다가왔다. 범진이까지 나타나자 혁준이는 부랴부랴 일어났다.

"그, 급한 일이 있어서."

나랑 범진이는 거의 동시에 혁준이의 어깨를 잡아서 앉혔다. 카운터에 있던 알바가 무슨 일인지 쳐다봤지만 범진이가 재빨리 친구랑 얘기하는 중이라고 둘러댔다. 그리고 혁준이를 끌고 밖으로 나갔다. 복도 끝에 있는 화장실 앞으로 혁준이를 끌고 가서 벽에 밀어부쳤다. 내가 거칠게 나오자 당황한 혁준이가 말했다.

"내가 연성이한테 이르면 어쩌려고 이래?"

"그 새끼가 자기 위신에 스크래치 생기는 걸 얼마나 싫어하는 줄 알지? 그런데 자기 똘마니가 투명 인간한테 맞고 오면 엄청 좋아하겠다. 그치?"

아까 아랫배를 한 대 맞은 것에 대한 화가 아직 풀리지 않았다. 거기다 유일한 친구가 전학을 가는 것 때문에 이판사판이라는 생각에 막 나갔다. 또 혁준이가 키는 컸지만 힘이 나보다 약하고 겁이 많다는 걸 누구보다 잘 알고 있었기 때문에 가능했다. 지켜보던 범진이도 끼어들었다.

"똥철이 말이 맞아. 걔는 네가 맞고 오면 커버 쳐주지 않아. 그냥 버리고 말지. 그 패거리에 들어가고 싶어서 줄 서 있는 애들이 한둘이 아닌데 뭐가 아쉽겠어."

양쪽이 번갈아 가면서 협박을 하자 혁준이의 얼굴이 파랗게 질렸다.

"미, 미안해."

"왜 우릴 따라 온 거야?"

내가 거칠게 묻자 혁준이가 고개를 저었다.

"따라오긴, 그냥 게임하러 왔다니까."

확 짜증이 나서 아까 맞은 것처럼 아랫배를 한 대 쳤다. 그러자 혁준이가 아파 죽겠다면서 발버둥을 쳤다.

"좋은 말로 할 때 얘기해. 너 혼자 PC방 다니는 걸 본 적이 없는데 무슨 게임이야?"

멱살을 잡고 목소리를 높이자 혁준이가 바로 털어놨다.

"미, 미안. 말할게. 사실 연성이가 따라가서 뭐 하는지 알아보라고 시켰어."

"나를 왜 따라오라고 한 건대? 응!"

그러자 혁준이가 내 어깨 너머를 바라봤다.

"너 말고."

놀란 내가 돌아보자 범진이가 어깨를 으쓱거렸다.

"날 감시하러 보냈을 거야."

좀 더 상황을 알아보기 위해 혁준이를 데리고 PC방 안으로 들어갔다. 그리고 사람이 없는 창가 쪽 구석 기둥 옆으로 데리고 갔다. 잔뜩 주눅이 든 혁준이는 눈물을 찔끔거렸고,

범진이는 그런 혁준이를 보면서 한숨을 쉬었다.

"무슨 일인데?"

내가 묻자 범진이가 고개를 절레절레 저었다.

"치사한 놈인 줄 알았는데 정말 유치한 놈이었네."

"뭔데?"

"내가 학교에 일러바칠지 몰라서 무서웠나봐."

"뭘 일러바치는데?"

"그동안 삥 뜯긴 거."

"뭐라고?"

놀란 내가 눈을 치켜뜨자 범진이가 한숨을 쉬었다.

"그동안 갖다 바친 돈이 좀 되거든. 그런데 아빠 사업 망하고 전학가는거 뻔히 알면서 또 돈을 내놓으라고 해서 빡쳐서 학교에 일러바친다고 했어."

"대체 무슨 깡이냐?"

"사실, 돈을 주면서 몰래 찍어놓은 영상이 있었거든."

범진이의 얘기를 들은 나는 머리가 어지러웠다.

"진짜, 끝내주네. 그래서 연성이가 너를 감시했던 거야?"

"전학 갈 때까지 건드리지 않으면 터트리지 않겠다고 했어. 그런데 못 믿고 미행을 시켰나 봐."

나는 범진이의 얘기를 듣고는 혁준이를 바라봤다. 벽에 기댄 채 잔뜩 주눅들어 있던 혁준이가 고개를 끄덕였다.

“누굴 만나고, 어디로 가는지 살펴보라고 했어. 혹시 이상한 짓을 할까봐 그런 거 같아.”

“씨발”

범진이는 어처구니 없다는 표정으로 툭 내뱉었다. 그걸 본 내가 물었다.

“그렇게 겁이 나면 자기가 직접 오지 왜?”

“오늘 도서관에 상 받으러 가거든.”

이번에는 내가 어이가 없어졌다.

“무슨 상을 받는데?”

“도, 우수 독서 청소년 상. 작년 겨울방학부터 도서관에서 독서 동아리 활동했거든.”

“그 새끼가 그걸 왜? 책이랑 담 쌓았잖아.”

“가서 그냥 자고, 독후감은 우리가 돌아가면서 써줬어. 그걸 잘 썼다고 오늘 상 받나 봐.”

“환장하겠네. 그걸 받아서 뭐하게?”

“봉사활동 점수를 받아서 대학 갈 때 유리하데.”

혁준이의 얘기를 듣고는 쓴웃음이 나왔다.

“남을 그렇게 괴롭혀 놓고 대학은 가고 싶었나 봐.”

“걔네 아빠가 엄청 무섭거든. 그래서 대학 못 가면 가만 안

놔둔다고 했데."

"그래서 자기는 가서 상 받아야 하니까, 너보고는 범진이 감시하라고 한 거야?"

내 물음에 겁에 질린 혁준이가 대답 대신 고개를 끄덕거렸다. 듣고 있던 내가 물었다.

"그 도서관이 저기 울황산에 있는 도서관 아니야?"

"맞아. 울황 교육 도서관."

"몇 시에 하는데?"

"다, 다섯 시에 한대."

누가 참석하고 어떻게 상을 받는지 꼬치꼬치 묻고는 혁준이에게 손을 내밀었다. 어리둥절한 혁준이가 물었다.

"뭐?"

"휴대폰 꺼내서 전화해. 연성이한테."

연성이의 이름을 들은 혁준이가 바짝 긴장했다.

"걔한테 왜?"

"우리가 여기서 얌전히 게임하고 있다고 말해."

"속였다가 들키면 어쩌려고?"

혁준이가 고개를 저으며 반항하자 내가 멱살을 움켜쥐며 윽박질렀다.

"그럼 내가 연성이한테 전화해서 네가 병신같이 들켜서

다 털어놨다고 하면 어떨까?"

"아니야. 시키는 대로 할게."

주머니에서 휴대폰을 꺼낸 혁준이가 바로 연성이한테 전화를 걸었다. 그리고는 나와 범진이 둘이 PC방에서 게임을 하고 있다고 조심스럽게 말했다. 몇 마디 한 연성이가 전화를 끊었다. 그 모습을 본 범진이가 물었다.

"뒷감당은 어떻게 하려고? 나야 전학 가면 끝이지만, 너는……."

나는 말끝을 흐리는 범진이를 돌아봤다. 무시당하는 게 싫었고, 이유 없이 주먹질을 당하는 것도 싫었다.

"고3이 인생에서 제일 중요한 시기라고 하잖아? 잊을 수 없는 추억을 한번 만들어보자."

"어떻게?"

"졸라 멋진 계획이 있는데 말이야."

눈빛을 주고 받은 나와 범진이는 혁준이를 PC방 안으로 끌고 들어갔다. 그리고 혁준이에게 얌전히 게임이나 하다 집에 가라고 하고는 우리 자리에 있던 컵라면을 가져다주었다. 가방을 메고 아래로 내려온 범진이가 물었다.

"계획이 뭔데?"

"그 도서관 간 적 있거든, 아마 시상식은 지하에 있는 작은 강당에서 열릴 거야."

"쳐들어가자고?"

범진이의 물음에 나는 고개를 저었다.

"보통 강당은 뒤쪽에 조정실이 있잖아. 거긴 출입구가 따로 있어. 그리고 안에서 잠글 수도 있어."

"잠겨 있을 거 아니야?"

"아니, 보통은 열어 놔. 잠가놓으면 화장실로 갈 때마다 빙 돌아가야 하거든."

내 얘기를 들은 범진이가 물었다.

"어떻게 그렇게 잘 아는데?"

"자원봉사 하러 간 적 있어. 거기로 들어가서 문을 잠근 다음에 마이크를 켜서 사람들 앞에서 연성이 얘기를 할 거야. 그 새끼가 얼마나 나쁜 놈인데 상을 주냐고 하면서 말이야."

내 얘기를 들은 범진이가 고개를 절레절레 흔들었다.

"간이 배 밖으로 나왔구나, 너?"

"어차피 무시당하고 사는데 뭐. 더 무시당하기밖에 더 하겠어? 오늘을 엄청 특별한 날로 만들어버릴 거야."

쌓이고 쌓인 불만들이 터지면서 말도 안 되는 일을 벌이기로 한 것이다. 내 결심을 들은 범진이가 피식 웃었다.

"이왕이면 핵폭탄을 터트리는 건 어때?"

"어떤 거?"

"가면서 보여줄게. 울황산으로 가는 마을버스 정류장이 저기지?"

"응."

범진이가 자기 휴대폰에 저장된 동영상을 보여줬다. 연성이가 3층 복도 사물함에서 범진이에게 돈을 빼앗아가는 모습이 고스란히 담겨 있었다. 휴대폰을 가까이 둔 탓에 욕설이 섞인 목소리까지 생생하게 들렸다. 영상을 본 내가 물었다.

"어디서 찍은 거야?"

"사물함 옆 칸. 녀석이 계속 돈을 달라고 해서 혹시 몰라서 옆 칸에 세워놓고 찍었어. 사실 이렇게 잘 나올 줄은 몰랐지."

"이걸 어떻게 하자고?"

"강당이면 빔 스크린 같은 거 있을 거 아냐?"

"있지. 그것도 조정실에서 작동해."

"이걸 틀어버리자. 목소리보다는 영상이 수백 배 더 여파가 클 거야."

"휴대폰으로 연결하는 법 모르는데?"

그러자 범진이가 주머니에서 작은 USB를 하나 꺼냈다.

"짜잔, 이게 있지롱. 이거면 돼?"

"그럼, 단말기에 꽂아서 송출 버튼만 누르면 바로 화면으로 나가겠네."

"이걸 써서 녀석에게 한방 먹이자."

범진이의 얘기를 듣고는 나도 모르게 웃음이 나왔다.

"미친놈. 전학 간다고 터트리는 거야?"

"우릴 위해서, 끝내주는 고3을 보내고 싶다며?"

범진이의 얘기에 나도 모르게 웃음이 나왔다.

"고3이 아니라 평생 기억에 남겠다."

"어떻게 할 거야?"

나는 잠깐 생각하다가 대답했다.

"해 보지, 뭐."

우리 둘은 거의 동시에 웃으며 울황산으로 가는 마을버스가 있는 정류장으로 향했다.

때마침 도착한 마을버스를 타고 울황산에 있는 교육 도서관에 도착했다. 3층으로 지어진 교육 도서관은 청소년들이 주로 이용하는 곳으로 나도 몇 번 책 정리와 행사 도우미로 간 적이 있었다. 반원형으로 된 현관에는 독서 동아리 수행평가 시상식이 열린다는 배너가 걸려 있었다. 현관 안으로 들어가자 책을 품에 안고 다니는 아이들과 학부모들이 보였다.

1, 2, 3층의 로비는 트여 있고, 지붕이 채광창이라서 빛이 그대로 들어왔다. 한쪽에는 앉아서 책을 읽을 수 있는 공간이 계단처럼 만들어져 있었고, 그 옆에는 매점을 겸한 작은 카페가 보였다. 지하로 내려가는 계단은 엘리베이터 옆에 있었다. 주변에 연성이의 패거리가 있는지 살펴봤지만 다행히 보이지 않았다. 내가 주변을 살피자 범진이가 한 마디 했다.

"연성이 패거리들은 여기 없을 거야."

"왜?"

"이런 자리에 데려오고 싶겠어? 여기서는 그냥 모범생으로 보여야 하는데 말이야."

"듣고 보니까 그러네."

피식 웃은 나는 어깨를 펴고 계단을 내려갔다. 살짝 어두운 계단을 내려가자 지하 1층 로비가 나왔고, 맞은편에 강당의 출입구가 보였다. 그곳에서 행사를 알리는 배너가 보였고, 그 옆에는 접수대가 있었다. 행사가 시작되는지 사람들이 명단을 확인하고 들어가는 게 보였다. 나는 화장실로 이어지는 통로를 가리켰다.

"저기로 가면 조정실로 가는 문이 있어."

꺾어진 통로로 들어가자 끝에 화장실이 보였고, 오른쪽에 '관계자 외 출입금지'라는 글씨가 적힌 철문이 보였다. 그곳으로 다가가 문고리를 돌렸는데 어찌된 일인지 꿈쩍도 하지 않았다. 놀란 내가 눈썹을 치켜뜨자 범진이가 물었다.

"열려있다며?"

"이상한데?"

"그냥 출입구로 들어가자."

범진이의 말에 나는 고개를 저었다.

"거긴 오가는 사람들이 많아서 안 돼."

"그럼, 어쩌자고."

범진이의 채근에 잠시 고민에 빠졌다.

"일단 화장실에 있다가 누가 나오면 잽싸게 들어가자."

"그래."

범진이와 함께 남자 화장실로 들어가서 복도 쪽을 살펴봤다. 강당 안에서는 행사의 시작을 알리는 요란한 박수소리가 들려왔다. 계속 쳐다봤지만 아무도 나오지 않았다. 초조한 와중에 휴대폰에서 카톡 알림음이 왔다.

"잠깐만."

범진이에게 말하고는 돌아서서 카톡을 살펴봤다. 엄마에게 온 카톡이었는데 너무 길어서 한 번에 읽을 수 없었다.

사랑하는 아들아. 아니다, 사랑한 적은 별로 없었지. 그럴 시간이 없었으니까. 엄마는 오늘 짐을 챙겨서 집을 나왔다. 20년 전부터 꿈꿨던 일인데 오늘에야 실행에 옮기는구나. 엄마가 왜 집을 나가는지는 구구절절이 얘기하지 않아도 알고 있으리라 믿는다. 집에 있는 동안 단 한순간도 마음이 편하지 않았고, 내 집이라는 느낌도, 내 가족이라는 생각도 들지 않았다. 그래도 어떻게든 살아보려고 했는데 시간이 지나도 네 아빠랑 할머니는 도저히 변하지 않더구나. 절이 싫으면 중이 떠나야 하지 않겠니? 마침, 어릴 때 나를 이뻐하던 큰고모가 돌아가시면서 내 앞으로 재산을 좀 남겨놨더라. 네 아빠는 장례식에 가지 말고 일하라고 했고, 할머니도 왜 가냐고 했었지. 속으로 피눈물이 나더라. 그래도 이 집에서 20년 넘게 아내와 며느리로 살았는데 장례식도 마음대로 못 가게 하고 말이야. 큰고모께서 남겨주신 금액을 보니까 멀리 지방에 가서 조용히 살 수 있겠더라. 나는 도시가 싫었어. 사람들도 너무 많고, 차도 많고, 그렇지만 정을 붙일 곳은 없더라. 그래서 하루하루 시들시들해졌어. 멍하게 앉아서 이상한 생각도 하고, 잠도 잘 안 오고, 하지만 병원은 엄두도 내지 못했지. 오랜만에 친구를 만나서 하소연을 했더니 바로 아는 신경정신과로 데려가더라. 그곳에서 의사한테 이렇게 살면 진짜 몇 년 안에 큰 병이 올 수 있다는 얘기를 들었어. 하지만 집에는 한 마디도 못했지. 네 아빠랑 할머니가 무슨 얘기를 할지 잘 알고 있었으니까. 다 내려놓고 떠나기로 마음먹고 조금씩 준비했다. 가서 자리 잡으면 이혼소송 할 거야. 그래서 네 아빠랑 할머니를 괴롭힐 생각이다. 그동안 맞은 거 진단서 떼어놨고, 할머니가 욕한 것도 휴대폰으로 다 녹음해놨어. 엄마 친구 중에 세 번 이혼하면서 그런 쪽으로 잘 아는 친구가 있었거든. 다들 민망하다며 모른 척 했는데 나만 계속 친하게 지내니까 이것저것 도와주더라. 마지막까지 고민했던 건 너 때문이었다. 하필이면 고3이니까 말이야. 그러다가 며칠 동안 내 삶이라는 것을 생각해봤다. 나에게 삶이라는 게 있었을까? 고등학교 졸업하고, 작은 회사 다니다가 거래처 직원인 네 아빠를 만났지. 어영부영 떠밀리다시피 결혼을 했고 너를 낳았다. 그게 전부야. 20년 가까이 동철이 엄마로, 남편의 아내로, 그리고 할머니의 며느리였지. 그 안에 나는 없었어. 나는 정말로 없었다. 다 낡은 찬장에도 없고, 할머니의 잔소리 속에도 없었고, 뒤뜰의 장독에도 없었단다. 엄마는 이제 삶을 찾으러 떠난다. 바다가 보이는 조용한 곳에서 작은 집에 살 거다. 집도 구했어. 그곳에서 매일 바다를 보면서 내 삶을 찾아볼 생각이다. 너에게는 정말로 미안하다. 하지만 나를 찾지 못하면 다 잃어버릴 거 같아. 미안하다. 어미를 원망해도 좋지만, 이해해다오. 내 삶에도 찬란한 순간이 한 번쯤은 와야 하지 않겠니?

엄마가 남겨놓은 카톡을 몇 번이고 읽어 봤다. 큰 충격은 받지 않았다. 며칠 전부터 엄마의 상태가 이상했기 때문이다. 그래서 충격보다는 올게 왔다는 느낌을 더 강하게 받았다. 하지만 찬란한 삶을 찾아서 떠난다는 문구에는 가슴이 아팠다. 나 역시 찬란한 삶의 순간이 없었기 때문이다. 묵묵히 휴대폰으로 온 카톡을 보는데 갑자기 범진이가 외쳤다.

"나왔다."

퍼뜩 정신을 차린 나는 휴대폰을 주머니에 넣고 범진이 옆으로 갔다. 안경을 쓴 여자 사서가 문을 열고 나와서 화장실로 가는 게 보였다. 범진이가 잽싸게 튀어나가서 닫히기 직전의 철문을 아슬아슬하게 잡는데 성공했다. 한숨을 쉰 범진이가 철문을 열면서 물었다.

"무슨 일이야?"

"어, 아무것도 아니야."

"어디로 가면 돼? 엄청 어둡네."

안쪽은 창문도 없고 조명도 없기 때문에 꽤 어두웠다. 일단 화장실로 간 여자 사서가 이쪽으로 들어오면 안 되기 때문에 철문을 안에서 잠갔다. 그리고 앞쪽에 있는 암막 커튼을 슬쩍 열었다. 나무 계단과 함께 멀리 조정실에서 들어오는 빛이 보였다.

"여기로 가면 창고 같은 게 있고, 조정실이 나와. 발 밑 조심하고 따라와."

계단을 올라가자 낡은 골판지 박스들이 양 옆으로 나란히 쌓인 창고가 나왔다. 그리고 맞은편에는 조정실로 들어가는 문이 보였다. 문이 살짝 열려있어서 조심스럽게 다가가 살펴보자 다행히 아무도 없었다.

"아까 그 사서가 혼자 있었나 봐."

내 말에 범진이가 고개를 끄덕였다.

"빈집털이네."

그 말을 듣고 피식 웃고는 조심스럽게 조정실로 들어갔다. 그리고 가장 먼저 조정실에서 강당으로 나가는 문을 잠갔다. 다행히 행사 때문에 강당 안의 불이 모두 꺼져 있고, 조정실도 약한 조명이라서 주변에서는 아무도 눈치채지 못했다. 한참 아래 보이는 강단에서는 시상식이 시작되었는지 상을 줄 사람과 받을 학생들이 나란히 서 있었다. 옆에는 꽃다발과 상패가 놓인 테이블도 보였다. 또래보다 덩치가 큰 연성이는 단번에 눈에 띄었다. 거기다 제일 뒤에 서 있어서 한눈에 알아볼 수 있었다. 강단 뒤의 빔 스크린에는 시상식의 내용을 알리는 화면이 보였다. 꼼꼼하게 살핀 후 범진이에게 말했다.

"여기까지 잠그면 이제 열쇠 없으면 못 들어와."

"완벽하네. 저기 제일 뒤에 있는 게 연성이지?"

"그런 거 같아."

내 대답을 들은 범진이가 USB를 꺼냈다.

"저 새끼가 상 받을 때 틀어버리자. 어때?"

"좋아."

"어디다 꽂으면 돼?"

"잠깐만."

자신 있다고 했는데 막상 와보니까 몇 달 전 겨울방학 때 온 게 마지막이라 기억이 잘 안 났다.

"잠깐만, 여기에다가 꽂아볼게."

"너, 잘 알고 있는 거 맞아?"

"믿으라니까."

건네받은 USB를 모니터 아래쪽에 있는 여러 개의 USB 포트 중 하나에 꽂았다. 하지만 모니터에는 아무런 표시가 보이지 않았다. 표시가 뜨고, 엔터를 눌러야 실행이 되는 거라서 초조해졌다. 그때, 강당 문이 활짝 열리면서 아까 화장실에

갔던 여자 사서가 황급히 들어오는 게 보였다. 아마 화장실을 갔다가 문이 닫히자 돌아온 것 같았다. 조정실 쪽으로 다가온 그녀를 본 나는 범진이에게 자세를 낮추라고 손짓했다. 잠시 후, 문이 덜컥거렸다. 하지만 잠가놓은 문은 열리지 않았다. 여자 사서가 조정실의 유리창에 붙어서 안쪽을 살폈다. 바짝 웅크리고 있던 범진이가 물었다.

"들켰냐?"

"거의."

"시간이 얼마나 남았지?"

"열쇠 가지고 올 시간."

"어디 있는데?"

범진이의 물음에 잠깐 생각한 다음 대답했다.

"아마 3층 사무실에 있을 거야."

"엘리베이터 타면 금방이잖아."

"그러겠지."

유리창에 바짝 붙어서 안쪽을 살펴보던 여자 사서가 몸을 돌려서 강당을 나가는 게 보였다. 그걸 보고는 고개를 들어 강단 쪽을 바라봤다. 어느덧 다른 참가자들은 모두 받고 한명만 더 받으면 연성이 받을 차례였다. 내 옆에서 고개를 들고 그걸 본 범진이가 채근했다.

"야, 빨리 틀어."

"잠깐만."

USB를 뽑아서 이리저리 찾다가 마침내 떠올랐다.

"아이, 모니터 옆이었잖아."

모니터 오른쪽 구석에 있는 USB 포트를 찾아서 그곳에 꽂았다. 그러자 모니터에 이모티콘이 하나 떴고, 마우스를 그곳에 갔다대며 막 누르려는데 범진이가 말했다.

"잠깐만, 저 새끼 상장 받을 때 틀어."

마우스 위에 손가락을 올려놓고 기다렸다. 고개를 살짝 내밀고 강단 쪽을 바라보던 범진이가 외쳤다.

"지금이야."

마우스를 누르자 딸깍하는 소리와 함께 화면이 바뀌었다. 그러면서 강단 뒤쪽의 빔 스크린에 연성이가 범진이를 윽박지르며 돈을 내놓으라고 하는 화면이 보였다. 화면의 각도가 절묘해서 얼굴을 단번에 확인할 수 있는 데다가 음성까지 잘 남아있어서, 누가 무슨 짓을 하고 있는지 금방 알아차릴 수 있었다. 처음에는 어리둥절해하던 관객들이 술렁거렸다. 상장을 받으려던 연성이도 고개를 돌렸다가 화면을 보고는 그대로 굳어버리는 게 보였다. 그걸 본 내가 어깨를 들썩거리며 웃었다.

"야, 저 새끼 떨고 있는 거 봐라."

"그러게. 항상 폼 잡고 다니더니 말이야."

뒷일이 어떻게 될지는 모르겠지만 연성이가 당황하는 것을 보는 것만으로도 충분히 기뻤다. 영상이 끝나자 한 번 더 마우스를 클릭해서 재생했다. 이번에는 몇몇 학생과 학부모들이 휴대폰을 들어서 재생되는 영상을 찍기 시작했다. 강단 위에 있던 연성이는 어쩔 줄 몰라 하다가 뒤늦게 촬영하는 걸 막으려고 했는지 두 팔을 벌리고 앞에 섰다. 하지만 사람들은 아랑곳하지 않고 촬영을 계속했다. 그걸 본 범진이가 말했다.

"한 번 더?"

"좋아."

세 번째로 영상을 재생하는데 여자 사서가 손에 열쇠를 들고 들어오는 게 보였다. 그걸 본 나는 범진이의 어깨를 쳤다.

"야, 튀자."

영상이 재생되는 가운데 우리 둘은 후다닥 창고 쪽으로 도망쳤다. 그리고 아까 들어왔던 문으로 나갔다. 복도를 쏜살같이 뛰어서 로비로 나오자 강당에서의 웅성거림이 들려왔다. 우리 둘은 엘리베이터 옆에 있는 계단으로 헐레벌떡 뛰어 1층으로 올라가서 뒤도 돌아보지 않고 현관으로 나왔다. 주차장까지 뛰어간 우리는 약속이나 한 듯 멈추고는 숨을 헐떡였다. 그리고는 통쾌하게 웃었다. 온몸의 힘이 빠질 정도로 웃다가 눈물까지 났다. 손가락으로 눈물을 훔쳐낸 나는 벤치에 기대 앉아서 범진이에게 말했다.

"야, 연성이 봤냐? 그 새끼가 그렇게 당황해하는 건 처음 본다."

"봤지. 이제 망한 거지. 걔는."

한참 웃고 나자 씁쓸한 현실이 찾아왔다. 벤치에 기댄 범진이는 휴대폰을 꺼내서 엄지손가락으로 꾹꾹 눌렀다.

"뭐해?"

내가 묻자 범진이는 대답 대신 휴대폰 화면을 보여줬다.

"우리 반 단톡방에 영상 올렸어."

"야, 전학 간다 이거지?"

"너한테 주는 선물이야. 이러면 연성이가 너를 쉽게 괴롭히지 못하겠지. 학교도 더 이상 모른척하지는 못할 거고 말이야. 너한테도 보냈으니까 필요하면 써먹어. 유튜브에 올리든, 인터넷에 뿌리든 알아서 해."

잠시 후, 내 휴대폰에도 범진이가 보낸 영상이 왔다는 알림음이 들렸다. 휴대폰을 꺼내서 들여다보던 내가 중얼거렸다.

"이러면 우리의 시간이 좀 나아질까?"

"고3한테 무슨 놈의 시간이야. 우린 그냥 공부랑 세상의 노예일 뿐이야."

그 얘기를 듣고는 어디선가 들은 것 같은 기억이 났다.

"그거, 세바오에 나오는 얘기 아니야?"

"맞아. 나도 그 유튜브 채널 구독 중이야."

"자식이 그래놓고 날 속여."

"얼마나 멍청한지 알아보려고 했지."

그러면서 우리 둘은 다시 웃었다. 웃음이 그치자 범진이가 일어나면서 말했다.

"멍청한 줄은 알았는데 용감한 줄은 몰랐다."

잠시 어색한 침묵이 흘렀다. 돌발적으로 벌인 일의 여파가 어디까지 미칠지 상상이 가지 않았기 때문이다. 한참 동안 나를 바라보던 범진이가 악수를 건넸다.

"잘 있어. 똥철아."

"그래, 계속 연락하자."

걸어가는 범진이의 뒷모습을 한동안 물끄러미 바라봤다. 하지만 나는 알고 있었다. 처음에는 자주 연락하다가 시간이 지나면서 이런저런 핑계를 대면서 끊어질 것이라는 사실을 말이다.

잠시 후, 도서관 현관으로 사람들이 우르르 쏟아져 나왔다. 휴대폰을 들여다보면서 얘기를 나누는 걸 보니까 강당에 있던 사람들 같았다. 혹시나 연성이가 나올지 몰라서 얼른 그들 사이에 섞여서 발걸음을 옮겼다. 그리고 휴대폰을 꺼내고는 주저하다가 엄마에게 작별 인사를 보냈다.

- 잘가요, 엄마. 찬란한 순간을 꼭 맞이하세요.

전송 버튼을 누르고 휴대폰을 주머니에 넣었다.

내일부터는 연성이가 나를 잡아먹으려고 들게 뻔했다. 영화나 드라마처럼 악당은 하루 아침에 폭망 하는 건 아니니까 말이다. 하지만 마음은 더없이 편했다. 더 이상 나를 고독이나 투명 인간으로 부를 사람은 없었기 때문이다. 남들에게 고등학교 3학년은 대학을 가기 위한 시간이자 어른이 되기 위한 발판이다. 하지만 나에게는 살아남기 위한 시간일 뿐이다. 이제 집에 가야 할 시간이다. 엄마는 어디론가 떠났을 것이고, 아빠는 그 핑계로 술을 마실 것이다. 할머니는 그런 아빠 옆에서 한탄을 하며 엄마를 욕할 것이 분명했다. 그 안에 내가 살아가는 고3의 시간은 존재하지 않았다. 그럼에도 불구하고, 나는 살아갈 것이다. 비록 찬란하고 멋지지는 않지만 나만의 시간을 위해서 말이다. 생각을 정리하자 마음이 홀가분해졌다.

비릿하고 찬란한

홍선주

1

나는 정윤의 마음이다.

태동부터 별개의 존재로 인지했던 건 아니었다. 원래는 정윤의 머리, 그러니까 이성과 하나였다. 정윤의 머리가 나였고 내가 그였다. 그리고 정윤이기도 했다.

그러나 언젠가부터, 나는 조금씩 분리되어 하나의 객체로 자리 잡기 시작했다. 머물던 위치도 조금씩 이동했다. 머리에서 시작해 정윤의 눈과 코를 거쳐 입으로 내려왔다. 그대로 곧장 미끄러져 지금은 목과 가슴이 연결된 어딘가에 자리 잡고 있다. 여기서 계속 이동하게 될지, 아니면 머무르게 될지, 그도 아니면 언젠가 아예 사라져버릴지 모르겠다.

처음 분리가 시작된 시기는 정윤이 열 살 생일을 맞기 얼마 전이었다. 어느 순간, 말 그대로 내가 '탄생'했다. 전에도 존재는 했지만, 내게 의지가, 힘이 있다고 느끼게 된 순간은 바로 그때였다. 그때부턴 내가 이끄는 대로 정윤이 말을 하고 움직이기 시작했다. 가끔은 알 수 없는 이유로 화를 품기도, 슬프기도, 혹은 기쁘기도, 행복하기도 했다.

정윤이 나로 인해 혼란스러워할 때도 있었다. 정윤의 머리가 내 선택과 결정을 이해하지 못하는 때였다. 그럴 때마다 머리는 내게 끊임없이 말을 걸었지만, 점점 강해진 나는 그의 말에 귀를 기울이지 않았다. 이전엔 정윤의 머리가 정윤을 움직였지만, 지금은 내 힘이 확연히 우위에 있었으니까.

내 결정이 잘못되었다고 머리가 생각하더라도 괜찮았다. 내 모든 결정은 주인인 정윤을 행복하게 만들기 위한 것이었다. 내가 정윤을 사랑하는 만큼 정윤이 자신을 사랑하길 바라니까. 그래서 더욱 열심히 힘을 발휘하려는 거다.

하지만 가끔은 두렵기도 하다. 나도 내가 왜 그러는지 알 수 없게 어딘가를 향해 무작정 달려간다고 느낄 때, 특히 그렇게 밀어붙이는 나에게 지쳐 정윤의 머리가 자취를 감춰버릴 때면 더욱.

예를 들어, 내가 정윤의 친구를 옥상에서 밀어버린 그때처럼.

그날 이후, 정윤의 삶은 완전히 바뀌었다. 도망쳤다. 성적 우수의 모범생이자 인싸였던 대한민국의 고교생이란 옷을 벗어 던지고 프랑스 한국문화원으로 발령받은 고모를 따라 무작정 파리로 왔다. 정윤의 부모님은 반대했지만, 정윤을 보호하기 위해 나는 완강하게 파리행을 고집했다.

어학원에서 6개월을 보낸 후 사립 고등학교로 편입했다. 완전히 새로운 환경에 적응해야 했지만, 괜찮았다. 한국을, 그 사건을 벗어났다는 것만으로도 충분했다.

오늘은 평소보다 조금 일찍 학교에 갔다. 교실에 도착한 정윤은 창가에 자리를 잡았다. 아이들 몇몇은 그룹을 지어 이야기를 나누고 있었지만, 끼고 싶지 않아 멀찌감치 떨어진 자리였다. 자리에 앉자마자 아이패드를 꺼내 드로잉 앱을 열었다. 하지만 펜슬이 화면에 닿기도 전에 누군가 말을 걸어왔다.

"윤! 머해?"

세상 밝은 표정으로 다프네가 다가와 어설픈 한국어 발음으로 물었다. 이 학교에서 가장 인싸인 여자아이로 성적도 좋고 교우관계도 좋은, 과거 한국에서의 정윤과 비슷한 위치에 있는 아이였다. 그래서 다프네를 마주할 때마다 불편했다. 저

아이로 인해 그때를 그리워하게 될까 봐.

다프네는 BTS의 팬이라 정윤이 전학을 온 첫날부터 친근하게 굴었다. 유튜브로 배운 한국말로 열심히 말을 걸어왔지만, 불편해하는 나로 인해 정윤은 언제나 거리를 두었다.

"그림"

언제나처럼 단답형으로, 한국어로 답했다. 주어도 동사도 없는 명사 하나. 그건 다프네가 한국어를 잘 못한다는 걸 배려하는 동시에, 한편으론 내 에너지를 최소화하는 방법이었다.

다프네가 아이패드의 빈 화면을 확인하곤 난감한 듯 입술을 뾰족하게 내밀었다. 이내 뭔가 말하려는 찰나, 교실 뒷문이 요란하게 열렸다. 다프네는 물론, 정윤을 포함한 아이들의 시선이 모두 그곳으로 향했다.

마르셀이었다. 어깨에 닿을 듯 말 듯 한 길이의 금빛 머리칼 위로 두꺼운 헤드셋을 낀 채 교실에 들어서고 있었다. 큰 키에 헐렁하게 걸쳐 입은 붉은색 셔츠 아래로 기다란 팔을 흐느적거리며 맨 뒷자리에 털썩 소리를 내며 앉았다.

"마르셀, 문 좀 조심히 열어!"

다프네가 선생님이라도 된 듯 호통을 쳤다. 아이들은 고개를 끄덕이며 다프네의 말에 호응했지만, 정작 당사자는 헤드셋으로 귀를 막고 있어서 자신이 소음을 낸 것도, 다프네가 자신에게 한 말도 듣지 못했다.

마르셀은 자신만의 공간에 따로 들어선 듯 의자에 엉덩이만 살짝 걸쳐 거의 눕듯이 앉았다. 손에 든 스마트폰의 화면에서 눈도 떼지 않고 고개를 까닥였다. 유튜브에서 뮤직비디오를 보며 음악을 듣는 모양이었다.

다프네가 고개를 절레절레 흔든 후 정윤에게로 시선을 돌리며 영어로 말했다. 아직 프랑스어가 익숙하지 않은 정윤을, 이번엔 다프네가 배려하는 거였다.

"쟤는 미국인이면서 이름은 전형적인 프랑스식이라니, 너무 웃기지 않아? 쟤 엄마가 어릴 때부터 파리를 동경해서 그렇게 지었다나? 이혼해서 프랑스로 이주해왔으니, 결국 꿈은 이루신 셈이지. 근데 프랑스 이름을 가지고 있는 애가 프랑스어는 또 잘 못해. 웃기지? 파리에 온 지 벌써 1년이 넘었는데 말이야!" 다프네는 마르셀을 힐끔거리더니 정윤에게로 몸을 살짝 숙여 속삭였다. "머리가 별로 안 좋나 봐."

그러고선 살짝 비웃음이 담긴 미소를 짓는데, 정윤이 영어로 물었다.

"나도 잘 못하잖아?"

"너? 넌 이제 겨우 몇 달 안 됐잖아! 게다가 BTS처럼 한국어가 모국어인데 프랑스어는 못해도 되지. 난 한국어 잘하는 네가 더 부러운걸!"

정윤은 한국에서 이미 제2외국어로 프랑스어를 공부했었고, 이 학교에 들어오기 전 어학원도 다녔기 때문에 다프네가 생각하는 것보다 훨씬 오래 그 언어를 배웠다. 하지만 굳이 그것을 덧붙여 설명하진 않았다. 다프네의 말에 별다른 반응 없이 아이패드에 펜슬을 가져다 댔다. 그 모습을 본 다프네는 어깨를 으쓱하며 자신의 무리에게로 돌아갔다.

정윤의 손이 펜이 가는 대로 사선을 그었다. 의미 없는 줄들이 아이패드의 하얀 공간을 조금씩 채워갔다. 그렇게 한참 자신이 그려내는 선들을 바라보다 고개를 낮춰 교실 뒤편을 힐끗 보았다. 마르셀은 스마트폰을 내려놓은 채 눈을 감고 음악 감상에 집중하고 있었다.

마르셀은 학교의 누구와도 친하지 않았다. 언제나 아이들과 괴리된 채였다. 그렇지만 묘하게도 그런 모습이 전혀 외로워 보이지 않았다.

정윤의 머리가 비슷한 분위기를 풍겼던 누군가를 떠올리려 하자, 나는 재빨리 정윤의 시선을 돌려 그림에 집중하게 만들었다.

2

비어있는 고모의 아파트 현관으로 정윤이 들어섰다. 평소보다 많이 늦은 시간이었다.

정윤은 왼쪽 어깨에 메고 있던 보조가방을 입구에 내려놓았다. 라카와 페인트 통이 여럿 들어서 무게가 꽤 나갔던 탓에 뻐근함이 느껴졌다. 곧바로 오른손으로 어깨를 주무르며 거실로 들어섰다.

고모는 큰 행사를 준비하느라 한 달째 얼굴도 보기 힘들었다. 꼬박꼬박 문자 메시지로라도 조카를 챙기려 노력했지만, 정윤에게 그녀의 메시지는 매일 아침 울리는 알람과 크게 다르지 않았다. 알람의 정지 버튼을 누르듯, 착해 보이는 문구의 답문을 기계적으로 적어 보내면 끝이었다.

정윤이 부엌에서 물을 한 잔 마신 후 방으로 향하는데 누군가의 인기척이 느껴졌다. 예상치 못한 상황에 몸이 굳어졌다. 긴장 가득한 정윤의 손끝이 방문을 슬며시 밀자, 열린 문틈으로 익숙한 옆모습이 눈에 들어왔다. 정윤의 눈이 반가움으로 커졌다.

침대에 앉아서 책을 보고 있던 연우가 고개를 들며 말했다.

"어. 정윤, 드디어 왔구나. 오늘은 좀 늦었네?"

"연우야! 난 또 누구라고. 언제 왔어?"

정윤이 반가워하며 펄쩍 방안으로 들어섰다.

연우는 빙그레 웃으며 책을 덮곤 어깨만 으쓱거렸다. 연우다운 제스처였다. 담대하고 여유로운.

"뭐 읽고 있었어?"

정윤이 옆에 나란히 앉으며 묻자, 연우가 대답 없이 책을 들어 표지를 보였다. 『호밀밭의 파수꾼』이었다.

"어? 나도 요즘 그거 읽고 있었는데!"

"당연히 네 책이지! 너 기다리면서 시간 때우느라 잡히는 대로 읽었어. 학교는 어땠어?"

"어, 그냥, 뭐…."

나도 그냥 시간만 때우고 왔어. 하지만 그걸 말로 내뱉지는 않았다. 그런 식으로 소극적으로 지내는 모습을 연우에게 알리고 싶지 않았다. 화제를 돌려야 했다. 연우와 즐거웠던 기억, 행복했던 추억을 이야기하며 그때의 정윤을 떠올리게 하고 싶었다.

정윤은 윗몸을 침대에 누이며 말했다.

"그때 기억나? 나는 지금도 그게 왜 웃겼었는지 이해가 안 가지만."

"아아, 가을 체육 시간? 이맘때였겠다."

연우가 바로 무슨 얘긴지 알겠다는 듯 나란히 몸을 뉘었다. 기지개를 켜는 것처럼 양팔을 위로 뻗으며 말을 이었다.

"정윤이 네가 정말 귀신이라도 들린 듯이 웃어 젖혔지. 다른 학생도 아니고 네가 그렇게 웃으니까, 체육 선생님도 더 당황하신 거야."

연우가 천장을 바라보며 추억에 잠긴 목소리로 말했다. 정윤의 머릿속에서 그날의 장면이 펼쳐졌다.

낙엽이 막 시작된 계절의 체육 시간이었다. 그날따라 바람이 많이 불어서 운동장에 떨어져 있던 붉게 마른 나뭇잎들이 수업 중에 사방으로 날아다녔다.

체육 선생님은 아이들을 두 그룹으로 나눠 마주 보게 나란히 줄을 세운 후, 오늘 배운 배구 토스와 서브 자세로 실기 점수를 채점하겠다고 공표했다.

"으에?!"

"아, 쌤. 갑자기요?"

'실기 점수'라는 말이 선생님의 입에서 나오자마자, 아이들은 싫은 괴성을 질러댔다. 그 순간, 갑자기 세찬 바람이 흙먼지를 일으키며 불었다. 바람은 아이들이 마주 서있는 사이를 통과하면서 한가운데 서있던 선생님에게 쏟아졌다. 아이들은 바람이 불어오는 반대 방향으로 고개를 돌리며 본능적으로 팔을 들어 올려 눈과 코를 가렸다. 잠시 후 바람이 잦아들자 하나둘 팔을 내리는데 갑자기 누군가 웃음을 터트렸다.

"푸핫!"

연우였다. 곧이어 두 손으로 입을 막은 채 끅끅 소리를 냈다. 연우 근처에 있던 아이들은 무슨 일인가 싶어 조금 전 연우의 시선이 머물렀던 곳을 바라봤다. 선생님의 엉덩이였다. 엉덩이 아래쪽 정중앙에 어른 손바닥만 한 붉은 단풍잎 하나가 반듯하게 붙어 있었다. 바람에 실려 왔던 잎이 하필 그곳에 붙어 떨어질 기미가 보이지 않았다.

"푸흡!"

"크학."

아이들이 동시에 웃음을 참지 못하고 소리를 냈다. 낌새를 눈치챈 선생님이 소리가 난 쪽으로 몸을 돌렸다. 아이들이 화들짝 고개를 숙여 표정을 감췄지만, 그 바람에 맞은편에 있던 아이들까지 선생님의 엉덩이에서 떨어질 줄 모르는 그 낙엽을 단체로 목격하고 말았다.

"하하하!"

"읍읍흑…."

"푸흐흐흐흑."

그게 왜 그리도 웃겼는지 모르겠다. 그저 참을 수 없게 웃음이 터져 나왔다. 웃지 않으려고 노력하면 할수록 더욱 웃음이 나와서 정윤은 정신을 차릴 수가 없었다. 옆에 선 친구의 어깨에 몸을 기댄 덕에 간신히 서있을 수 있었지만, 그 와중에도 웃느라 숨을 헐떡거려야 했다.

당황한 기색에 노기까지 서린 표정의 체육 선생님이 정윤에게 소리쳤다.

"반장! 무슨 일이야? 왜 웃어! 어?!"

"그… 큭, 서, 선생님…. 하아, 자, 잠시만요."

정윤은 정중히 설명하고 싶었지만 웃음이 제어되지 않아 결국 선생님을 등져야 했다. 그렇게 다급히 숨을 고른 후에 겨우 다시 뒤를 돌았다. 하필 그사이 선생님은 맞은편의 아이들에게 주의를 주고 계셨다. 그의 엉덩이 정중앙에서, 그 손바닥만 한 낙엽이 여전히 정윤을 마주 보고 있었다. 결국 정윤은 다시 웃음이 터졌고 이번엔 배까지 움켜쥔 채 운동장 흙바닥에 쓰러져 버렸다. 아이들은 정윤의 그 반응이 웃겨서 다시 따라 웃기 시작했고 선생님은 영문도 모른 채 어쩔 줄 몰라 했다.

수업이 끝나고 교무실에 따로 불려간 정윤이 사실대로 말했지만, 선생님은 믿지 못했다. 고작 그런 일에 정신이 나갈 정도로 정윤과 아이들이 웃지는 않았을 거라고 생각했다.

하지만 진실이었다. 그날 정윤을 비롯한 아이들은 오로지 그 단풍의 모습이, 상황이, 너무도 웃겼던 것이다. 왜 그런지 설명은 할 수 없었지만 미친 듯이 웃었고, 웃던 그 순간이 형언할 수 없게 행복했다. 다음날 뱃가죽이 당겨서 고생했을 만큼.

그리웠다. 그런 내가 정윤의 목소리에 담겨 입을 타고 담담히 흘러나갔다.

"그때 진짜… 재밌었지?"

"이번 학교에선 그렇게 함께 웃을만한 친구, 아직 없어?"

"응?"

연우의 물음에 정윤이 퍼뜩 몸을 일으키며 되물었다. 연우도 일어나 다정한 눈길로 시선을 맞추며 말했다.

"여기서 어울리는 친구 얘기는 한 번도 한 적이 없어서."

"… 너 있잖아?"

"에이, 나야 학교 밖에서 보는 친구고 학교생활 함께 할 친구도 있어야지. 수업도 같이 듣고, 공부도 같이할 친구. 한국에서 우리가 그랬던 것처럼."

연우가 겸연쩍게 웃으며 턱을 앞으로 쭉 빼다 넣었다. '그렇지 않아?'라고 답을 확인하는 제스처였다.

정윤은 난감해하며 침묵했다. 하지만 곧 머리에 떠오른 말을 밝게 내뱉었다.

"너도 이제 학교 나오면 되잖아! 연우야, 나랑 같이 다니자. 학교!"

연우의 얼굴에 당황스러워하는 빛이 서렸다 사라졌다. 연우가 부담스러워하는 모습에 안 되겠다 싶어 재빨리 말을 보탰다.

"아니, 물론, 내가 너한테 얘기를 안 해서 그렇지, 학교에도 친구 있어! 다프네라고, 인싸에 공부도 잘하는 앤데, 걔랑 제일 친해. 내가 프랑스어를 잘 못하니까 대화를 많이 할 순 없는데, 대신 걔가 한국어를 하고 싶어 해서 말을 자주 걸어서…. 암튼, 걔랑 친해! 그리고 또, 아! 또 있어, 그, 마르셀이라고…."

어느 시점부터는 그냥 마구 지껄이고 있었다. 그 속에 거짓이 섞여 있다는 건 중요하지 않았다. 정윤이 잘 지내고 있다고 연우가 믿길 바랐다. 그것만 중요했다.

물끄러미 정윤의 얼굴을 바라보던 연우가 마침내 미소를 지었다. 손바닥을 들어 올려 장난스럽게 정윤의 입을 막는 시늉을 하며 말했다.

"알았어, 알았다고! 생각해 볼게. 대신, 내가 어느 날 갑자기 학교에 나타나도 놀라지 마라?"

"어, 응! 당근 안 놀래지!"

신이 나서 고개를 주억거리며 답했다. 연우가 한껏 밝아진 얼굴로 정윤을 바라봤다. 그렇게 잠시 눈을 맞추곤 침대에 다시 드러누웠다.

"마르셀이랬나? 걔 이야기 더 해봐."

"마르셀…? 다프네 말고?"

"음, 난 네가 마르셀이랑 더 친해지면 좋겠는데."

"뭐? 왜?"

정윤이 의아한 눈빛으로 연우를 내려다보며 물었다.

"그러고 싶지 않아? 넌 걔를 궁금해하고 있잖아, 아니야?"

연우가 정윤과 눈을 맞추곤 물었다.

덜컥. 내가 드러나 버린 순간이었다. 정윤의 고개를 돌려 시선을 피해 보려고 했지만 움직여지지 않았다. 연우의 말간 검은 눈동자가 나를 꿰뚫고 있었다. 얼어붙은 듯 마주 보고 있다가 겨우 입을 움직여 물었다.

"… 어떻게 알았어?"

"내가 너에 대해 모르는 게 있을 리가."

그렇게 말하며 연우가 낮게 웃음을 터트렸다. 그리고 다시 시선을 천장으로 향했다.

연우의 시선이 거둬지자, 그제야 정윤의 몸을 제어할 수 있었다. 연우의 시선이 향한 곳으로 정윤의 시선도 옮겼다. 망설이다가 낮은 목소리로 변명하듯 덧붙였다.

"마르셀이 궁금하긴 해."

너랑 비슷한 느낌이거든.

이번에도 뒤의 말은 나에게 담고 밖으로 내놓지 않았다.

3

"정윤? 잠깐 선생님 좀 볼까?"

과학 수업이 끝나자마자 교실 앞문에 나타난 교감 선생님이 정윤을 불렀다. 어리둥절하게 가방을 챙겨 앞으로 향하는데 뒤에서 아이들이 수군대는 소리가 들렸다. 아무래도 정윤만 모르고 다른 아이들은 모두 알고 있는 무슨 일인가가 생긴 모양이었다.

교감 선생님은 자신을 따라오라는 손짓을 한 뒤 앞장서 복도를 걸었다. 영문을 모르는 상태라 조금 긴장한 채 뒤를 따랐다. 복도에 있던 다프네와 친구들이 정윤에게 알 수 없는 눈빛을 보냈다. 내게 깃들었던 불안이 정윤의 심장으로 옮겨 갔다. 심장이 쿵쾅거리며 제멋대로 뛰었다.

상담실에 들어서자, 교감 선생님은 문을 닫으며 의자를 권했다. 어색하게 자리에 앉자, 그녀도 맞은편에 자리를 잡곤 용건을 얘기했다. 부드러운 프랑스어 발음이 상담실을 울렸다.

"지난 금요일… 다프네… 아이패드…?"

"선생님, 제 프랑스어. 부족해요." 딱 네 단어만 알아들은 정윤이 어설픈 프랑스어로 말을 끊곤 바로 영어로 덧붙였다. "죄송하지만, 영어로 부탁드려도 될까요?"

"아아, 그래. 내가 깜빡했구나."

교감 선생님이 고개를 끄덕이며 답했다. 잠시 생각을 정리하더니 영어로 다시 설명했다.

"지난 금요일에 다프네가 아이패드를 잃어버렸다는구나. 학생 휴게실에 둔 가방에 넣어뒀었는데 그것만 사라졌대. 그런데 다프네가 휴게실에 들어갈 때 네가 막 나가던 참이었다고…."

"제가 훔쳤는지 물으시는 거예요?"

정윤이 이마를 찌푸리며 단도직입적으로 물었다. 언어가 자유롭지 못한 상태에서는 오히려 솔직해진다. 돌려 말하는 게 더 어려우니까.

교감 선생님은 퍼뜩 놀라며 답했다.

"아니, 아니야! 그런 게 아니란다. 다프네가 들어갈 때 넌 이미 휴게실을 나서는 중이었으니까, 그건 불가능하지. 혹시 네가 다른 사람이 들어가는 걸 봤나 싶어서 확인하는 거란다. 너를 봤다는 목격자가 다른 한 명을 더 언급했거든. 너도 혹시 그 아일 봤는지 알고 싶구나."

"아, 네."

고개를 끄덕이며 답한 뒤 기억을 떠올려봤다. 지난주면 벌써 일주일 가까이 지났다. 평범한 날이었는데, 그날 휴게실을 나설 때 누군가 복도에 있었나? 걸어 나올 때 스쳤나? 하지만 근처에는 아무도 없었다. 정윤을 봤다는 목격자는 어디에 있었을까?

하지만 그 답들에 다가가기 전에, 다프네가 지난 금요일에 아이패드를 잃어버렸다는 사건에 대한 의문이 먼저 고개를 들었다. 기억 속 날짜와 요일이 혹시 뒤섞였을까. 분명히 지난 주말에 공원에서 우연히 마주친 다프네는 아이패드를 들고 있었는데? BTS의 숏폼 영상을 보여주며 한글을 물어봤지 않았나? 지난 주말이 아닌가? 비슷한 다른 상황을 헷갈리는 걸까. 아, 혹시 휴대폰이었나?

"정윤? 누군가를 봤니?"

교감 선생님이 생각에 잠긴 정윤을 깨우려 다시 물었다.

정윤은 아무도 보지 못했다. 아니, 본 기억이 없었다. 그러니 그렇게 대답하면 끝이었다.

정확하지 않은 기억의 주말을 괜히 들먹이면 일이 복잡해질 게 뻔했다. 다프네를 불러 대질신문까지 하게 될지도 모른다. 그때 혹여나 정윤이 날짜를 헷갈린 것으로 밝혀지고, 의미 없이 사건을 키운 게 되어버리면, 그나마 학교에서 유일하게 정윤을 챙기던 다프네와의 관계가 서먹해질 수 있었다.

어차피 지금 하려는 대답은, 거짓은 아니었다. 그저 귀찮은 분란을 만들지 않기 위해 불필요한 진실을 가리려는 것뿐이었다. 나는 그 신호를 정윤의 뇌를 향해 잔뜩 쏘아댔다. 효과가 있었는지 곧바로 정윤이 입을 열었다.

"잘 모르겠어요, 기억이 안 나요. 목격자는 누굴 봤대요?"

"음, 네가 생각이 나지 않는다면 됐다. 이만 나가보렴. 시간 내줘서 고맙구나."

교감 선생님이 웃으며 자리에서 일어섰다. 다른 아이의 정체는 밝히지 않을 생각인 듯했다.

이곳에서의 모든 일에 무심했던 것처럼, 그 일에도 별다른 관심은 생기지 않았다. 곧장 선생님에게 고개를 숙여 인사하곤 몸을 돌렸다. 익숙하지 않은 동양식 인사에 교감 선생님이 움찔했지만, 이 또한 신경 쓰지 않고 담담히 상담실 문을 열고 나왔다.

운동장을 가로질러 교문으로 향하는데 누군가 쫓아오는 발소리가 들렸다. 이내 정윤의 눈앞에 다프네의 얼굴이 나타났다. 아이는 눈꼬리를 한껏 내린 채 미안한 말투로 물었다.

"윤, 괜찮아? 잡은 거 아니지, 너를?"

다프네가 급한 마음에 이해하기 힘든 한국어를 뱉어냈다. 그게 고맙고 귀여워서 평소보다 다정하게 답해주었다.

"… 괜찮아. 그냥 뭘 좀 물어보셨어."

"아, 다행"

다프네가 가슴을 쓸어내리며 답하는데, 그새 쫓아온 무리 중 한 명이 날카로운 억양의 프랑스어로 물었다.

"정윤, 너 그날 마르셀 봤지?"

"마르셀? … 뭐? 휴게실, 나타난 게, 마르셀?"

정윤이 놀라 단어만 사용해 되물었다. 목격자가 봤다는 다른 사람이 그 아이였던 모양이다. 하지만 그날 마르셀은….

정윤의 머리가 지난 금요일 오후에 그라피티를 그리던 장소에서 마르셀을 마주친 기억을 떠올렸다. 하지만 내가 급히 고개를 흔들어 그 잔상을 비워버렸다. 번거로운 일에 말려드는 건 피하고 싶었다.

"넌 못 봤어? 하지만 다프네가…."

"괜찮아, 됐어! 윤 귀찮게 하지 말고 가자!"

다프네가 정윤을 채근하던 친구의 말을 잘라냈다. 의아해하는 친구의 등을 떠밀며 한층 더 미안해진 표정으로 정윤에게 속삭였다.

"신경 쓰지 마. 미안! 내일 봐."

정윤의 머리가 주말 일에 관해 물어보려는 듯 입술을 벌렸지만, 나는 그 질문이 밖으로 나오는 걸 막아냈다. 머리가 어렴풋이 짐작하고 있는 진실에 다가서는 게 두려워서였다. 살짝 벌어졌던 정윤의 입을 닫는 데에도 성공했다. 멀어지는 다프네의 어색한 미소를 보던 정윤의 몸을 돌려 학교 밖으로 이끌었다.

고모와 함께 사는 집까지는 버스를 타고 15분쯤 걸렸다. 하지만 오늘은 정윤을 걷도록 했다. 나는 물론, 정윤의 머리까지 알 수 없는 이유로 복잡해져 있었기 때문이었다. 이럴 땐 몸에 반복적인 움직임을 주면 어느 순간 정돈이 되곤 했다. 오늘은 그게 필요한 날이었다.

멍하니 걷던 정윤이 작은 서점 앞에서 걸음을 멈추었다. 유리창 안에 진열된 책들을 무심하게 살피다 눈이 일순 커졌다. 얼굴에 생기가 돌더니 곧장 가게 안으로 들어갔다.

"어서 오세요!"

밝은 목소리의 젊은 남자 점원이 정윤을 맞았다. 정윤은 그에게 살짝 고개를 숙여 인사를 건넨 후 직선 방향에 보이는 매대로 빠르게 걸어갔다. 점원의 호기심 어린 눈이 정윤의 뒷모습을 쫓았다.

K-스릴러. 정윤이 마주 선 매대에 커다랗게 붙은 글귀였다. 정윤은 맨 위에 놓인 책을 한 권 집어 들었다. 검은 얼룩무늬 나비가 날개를 찢긴 채 박제된 듯한 강렬한 표지의 책이었다.

"한국인?"

어느새 곁에 선 점원이 물었다. 정윤은 책 표지에서 시선을 떼지 않은 채 고개만 살짝 끄덕였다. 점원이 반가운 듯 정윤에게 설명하기 시작했다.

"이 책… 재미있…. 이건… 연작 중 2번째 책…, 첫 번째 책은 두 가지 사건이 함께 진행되거든? 그중에 어린아이가 중심이 된 사건이 특히 충격적이었어."

"네, 1권은 저도 한국에서 읽었어요. 2권이 나왔다는 건 알았는데 프랑스에서 번역까지 된 줄은 몰랐어요."

"와, 그럼 넌 한국어로 읽었겠네? 나도 이 시리즈 엄청 재미있게 읽었거든. 곧 3권도 나올 예정이래!"

"정말요? 3권도 나온대요?"

내가 기쁨으로 가득해지자, 정윤의 얼굴에도 화색이 돌며 목소리 톤이 자연스레 올라갔다.

"어! 3권이 시리즈의 완성이라던데? 1권에서는 주인공 아이가 열 살 남짓한 나이에 엄청난 일을 겪게 되잖아. 그 아이가 2권에서는 고등학생이 되어서… 아, 넌 아직 안 봤으니까 스포일러는 피해야지! 아무튼, 3권에서는 그 아이가 성인이 되어서 벌어지는 이야기가 될 거래!"

"와아, 진짜요?"

기대에 찬 탄성을 내뱉으며 정윤의 시선이 다시 표지로 향했다. 책을 읽기엔 프랑스어가 아직 많이 부족했지만 그냥 갖고 있기만 해도 좋을 것 같았다. 결심한 정윤이 책을 들고 계산대로 향하자, 점원이 재빨리 뒤쫓아 왔다. 자신의 영업이 통한 것에 만족한 듯 웃으며 카운터로 뛰어 들어갔다.

"넌 프랑스에 언제 왔어? 회화가 굉장히 능숙하네. 아주 어릴 때 왔나 봐?"

잔돈과 함께 책을 담은 봉투를 건네주며 점원이 감탄하듯 말했다. 정윤은 큰 잘못을 저지르기라도 한 것처럼 얼굴을 붉히며 급히 시선을 낮췄다.

"아… 고맙습니다, 수고하세요."

도망치듯 서점 문을 나섰다. 나는 굳어 있는 정윤의 얼굴을 풀어보려고 했지만 잘 되지 않았다. 어쩔 수 없이 걸음을 빠르게 했다. 점원에게 들켜버린 정윤을 감춰주고 싶었다.

4

오늘따라 교실의 분위기는 평소보다 어수선했다. 수업 중이었지만 어딘지 모르게 들떠있는 아이들 때문이었다. 그러나 정윤은 그들과 유리 벽으로 분리된 공간에라도 있는 것처럼 다른 공기로 숨을 쉬었다. 즐겨 앉던 자리보다 조금 더 뒤쪽에 자리를 잡은 채 선생님의 눈을 피해 어제 산 책을 읽고 있었다. 문학 수업에서, 다른 게 아닌 독서로 딴짓을 하는 것이라서 죄책감은 덜했다.

한국어로 읽을 때와는 비교도 되지 않을 만큼 속도가 느렸지만 프랑스어로 묘사되는 풍경과 상황에서 한국을 느낄 수 있다는 게 신이 났다. 몇 페이지 읽지도 못했는데 수업이 끝나 버렸다. 아쉽게 책장을 덮고 교실을 이동하기 위해 가방을 싸는데, 흥분한 아이들의 목소리가 귀에 걸렸다.

"목격된 게 마르셀뿐이라며? 그럼 걔가 훔쳤겠지!"

"아니, 그냥 휴게실 근처에 있다가 목격된 거 아니야?"

"걔가 훔친 거 맞을걸? 애가 어딘지 모르게 음침하잖아. 프랑스어도 제대로 못하면서 무슨 생각으로 학교를 다니는지 모르겠어. 출석일수를 다 채우긴 해?"

"안 그래도 부모님 때문에 다프네가 심란한 것 같던데, 어휴, 하필…."

관심 두지 마. 그렇게 신호를 보내니 귀를 타고 들어오던 소리가 잦아들었다. 가방을 한쪽 어깨에 걸치고 일어서는데 예상치 못했던 인물이 앞을 가로막았다. 얼굴을 확인하곤 놀란 목소리가 반갑게 튀어 나갔다.

"연우?! 학교 나오기로 한 거야? 언제…."

"왜 교감 선생님께 말씀드리지 않았어?"

차가운 연우의 표정과 질타하는 말투에 정윤의 말문이 닫혔다.

연우가 한 걸음 다가서며 다시 물었다.

"넌 마르셀이 휴게실 근처에 있을 수 없었다는 걸 알고 있잖아. 그런데 왜 말 안 했어? 네가 사실을 이야기했으면 마르셀이 저런 오해를 받지 않아도 되잖아."

정윤의 얼굴에서 반가웠던 기색이 사라졌다. 연우가 다가선 만큼 뒤로 천천히 물러서며 변명하듯 중얼거렸다.

"… 내가 기억을 못하는 걸 수도 있잖아."

"정말?"

연우가 무섭게 되물었다. 정윤은 눈을 내리깔았다. 눈을 마주 보면 연우에게 확신을 주게 될 것 같았다. 연우가 알고 있을 것들을 모두 인정해버릴 것 같았다. 마르셀이 휴게실 근처에 있지 않았던 것도, 다프네가 그때 아이패드를 도난당하지 않았다는 것도. 그리고 정윤이 그 모든 사실을 알고서도 침묵하려는 것까지.

연우는 정윤의, 나의 선택을 용납할 수 없다는 듯 얼음처럼 차가운 눈빛으로 노려봤다. 그 선택을 다시금 비난하고 있었다.

"기억이 잘 안 난다고! 이번엔 정말이야!"

연우의 눈빛을 버텨내지 못한 정윤이 변명하듯 소리를 쳤다. 교실을 아직 빠져나가지 않은 아이들 몇이 놀라서 정윤을 돌아봤다. 정윤의 한국어를 알아듣지 못해서 더욱 난감한 표정들이었다.

"… 이번엔?"

싸늘한 눈빛으로 연우가 정윤의 말을 되풀이했다. 순식간에 그때의 기억이, 감각이, 정윤의 온몸을 훑고 지나갔다.

그때도 선생님께 기억이 나지 않는다고 했다. 사실은 보았으면서, 연우가 교무실 복도를 지나갔지만 안으로는 들어가지 않은 것을 보았으면서도, 당직 선생님이 물었을 때 정윤은 사실대로 말하지 않았다. 다른 증거는 없었으니 연우의 결백은 오직 정윤의 증언으로만 가능한 것이었지만, 정윤은 기억이 잘 나지 않는다고 얼버무렸다.

나는 얼어버렸다. 연우의 차갑디 차가운 그 눈빛과 말투에, 갑자기 깊게 파인 얼음 구덩이에 갇혀버리기라도 한 것처럼 추위를 느꼈다. 정윤의 얼굴도 사색이 되었다. 멍한 눈으로 연우를 바라본 채 가만히 서 있었다.

주변으로 걱정스러운 눈빛의 아이들이 몰려들었다. 연우가 주변의 아이들을 의식한 듯 일순 표정을 풀었다. 숨을 가다듬더니 평소의 다정한 말투로 말을 건넸다.

"정윤아, 나랑 얘기 좀 할래? 여긴 애들이 많으니까 다른 곳으로 가자."

"… 싫어."

정윤이 곧장 연우를 지나쳐 문으로 향하며 중얼거렸다. 연우와 더 이상 얼굴을 맞대고 있을 수가 없었다. 연우가 하고 싶은 이야기가 뭔지 알았으니까. 그 얘길 시작하면 정윤은 무너질 것이고, 겨우 다시 만나게 된 연우를 잃게 될지도 모르니까.

"너 괜찮아?"

문가에 서 있던 남학생 하나가 걱정스러운 표정으로 정윤에게 물었다. 정윤은 짧게 고개를 까닥이곤 교실 문을 나섰다. 교실에 남은 아이들이 시끌벅적하게 떠드는 소리가 복도를 울렸다. 정윤은 달리기 시작했다. 그 소리로부터 달아나기 위해서였다. 다음 수업은 이미 안중에 없었다. 건물 밖으로, 학교 밖으로, 거리로, 쉬지 않고 무작정 뛰었다. 심장도 쿵쾅거리며 뛰었다. 빠른 심장 박동이 달리기 때문인지, 내가 불안해서인지 분간할 수 없었다.

다음날, 정윤은 학교에 가지 않았다. 고모에게는 몸이 좋지 않다고 둘러댔다. 고모는 학교에 연락하고, 음식 배달도 시켜주었지만 출근을 미룰 순 없었다. 준비 중인 큰 행사가 바로 내일이었다. 그게 우리에겐 오히려 다행이었다.

홀로 남은 아파트에서 정윤은 노트북으로 음악을 틀어놓고 배달 음식을 깨작거리며 먹고 있었다. 머리는 아무런 작업도 하고 있지 않은 듯했다. 나도 나른하게 긴장이 풀려 있었다. 그런데 갑자기 어제 차갑게 노려보던 연우의 눈빛이 떠올랐다. 놀라서 등이 욱신거릴 만큼 급격히 심장이 요동쳤다.

재빨리 정윤을 노트북 앞으로 보내서 동영상 서비스를 열게 했다. 찜해놓았던 드라마 하나를 재생시켰다. 영화는 금방 끝나버리니까 지금 상황에선 맞지 않았다. 족히 몇 시간 동안 정윤의 머리가 다른 생각을 못 하게 할 무언가가 필요했다.

지금의 현실에서 또다시 도망치고 싶었다. 숨고 싶었다.

나는 정윤의 마음이니까. 내가 원하는 게 정윤이 원하는 것이었다.

5

고모는 행사를 준비하러 새벽같이 집을 나섰다. 정윤은 고모에게 오늘은 학교에 가겠다고 말했지만 그 약속을 지키지 못하게 됐다. 밖으로 나왔지만 발길은 자꾸만 다른 곳으로 향했다. 학교에서 연우를 다시 마주해야 하는 게 두려워서였다.

하염없이 걷기만 하던 정윤은 들고 나선 지도 몰랐던 라카 통과 페이트 통이 덜컹거리는 소리를 뒤늦게야 알아챘다. 책가방을 메고 나왔다고 생각했는데, 실은 그라피티용 작업 가방이었다. 어이가 없어서 잠시 바라보다가 실소를 터트렸다. 하지만 이내 명확해진 목적지로 가볍게 발을 내디뎠다. 이렇게 된 바에야 그곳으로 가자는 내 신호를 따랐다.

도보로 그리 멀지 않은 곳에 그라피티를 연습하던 폐공장이 있었다. 하늘에 먹구름이 끼기 시작했지만 결정을 바꾸게 하지는 못했다. 어제 밤늦게까지 드라마를 봤지만 집중을 못해서 중간에 딴생각만 잔뜩 했다. 잊고 싶은 기억들이 자꾸 머릿속을 파고들어 드라마의 줄거리는 다 놓치고 말았다. 다시 그럴 바엔 차라리 그라피티를 그리는 게 나았다. 색을 고르고 손을 움직이면서 그 궤적이 그리는 흔적을 시선으로 쫓으면 적어도 다른 생각은 들지 않았으니까.

정윤의 몸이 폐공장 입구로 들어섰다. 회색빛 시멘트로 만들어진 전형적인 공장의 외관은 쓸쓸해 보이고 멋이 없었지만, 정윤에겐 최적의 도화지였다. 특히 공장 건물의 뒤편 광장은 낮은 언덕과 바로 이어져 사람들도 다니지 않았다. 그래서 그라피티를 들킬 염려 없이 편히 연습할 수 있었다. 오늘도 그런 시간을 갖게 될 것에 즐거워하며 막 건물 모퉁이를 돌아섰을 때였다.

정윤이 며칠 전 작업한 그림 앞에 누군가 서 있었다. 호리호리한 몸에 어두워지는 하늘 아래에서도 금발이 반짝거리는 마르셀이었다. 손가락으로 턱을 받친 채 감상하듯 정윤의 그라피티를 쳐다보고 있었다.

놀란 나로 인해 정윤의 걸음이 멈췄다. 그러나 인기척을 느낀 마르셀이 이쪽을 돌아봤다.

뛰어! 교감 선생님에게 제대로 말해주지 않아서 해코지하러 왔을지도 몰라!

다급하게 날린 내 신호에 정윤은 바로 몸을 돌려 발을 굴렀다. 작업 가방은 어디론가 내던졌다.

"기다려!"

마르셀이 영어로 외쳤지만, 그 말에 멈출 거였으면 애초에 달릴 생각도 안 했을 거다.

처음 이곳을 탐색할 때 폐공장 내부를 이미 확인했었다. 안은 집기고 뭐고 거의 남아있지 않았다. 숨을 기물이 없다는 얘기였다. 그러니 선택할 수 있는 건 언덕이었다. 울창한 숲은 아니지만 그래도 텅 빈 공장보다는 몸을 숨길만한 나무 몇 그루는 있었으니까.

흙바닥에서 언덕의 풀 위로 올라설 때 갑자기 굵은 빗방울이 떨어지기 시작했다. 하지만 그게 선택을 바꿀 변수는 아니었다. 지금은 마르셀을 피해 달아나야 했다. 비에 젖든 말든 상관없었다.

문제는 순식간에 세차게 바뀐 빗줄기가 언덕에 쌓인 낙엽들을 흠뻑 적시면서 발생했다. 평소라면 별 탈 없이 오를 수 있었을 언덕이, 빗물과 결합한 낙엽으로 정윤의 운동화를 여지없이 미끄러뜨렸다.

결국 손까지 뻗어 바닥을 짚은 채 네발로 기듯이 언덕을 올라야 했다. 힐끗 아래를 확인하니 마르셀이 긴 몸을 뻗어 성큼성큼 쫓아오고 있었다. 안달이 난 나는 정윤의 몸을 더욱 채근했다. 정윤의 다리를 높이 들어 앞으로 디뎠다. 그런데 그 발이 바닥을 무겁게 누르는 순간, 파묻히듯 아래로 푹 들어갔다. 곧이어 정윤의 몸까지 아래로 쑥 꺼져버렸다. 중력을 느낀 것도 잠시, 발에 느껴진 차가운 기운과 함께 엉덩방아를 찧었다. 엉덩이에 통증과 축축한 물기가 동시에 느껴졌다. 이내 발목까지 잠긴 운동화 속으로 물이 스며들었다. 흐렸던 정윤의 시야를 깨워 주위를 둘러봤다. 좌우로 동그란 구멍의 관이 보였다. 폐기된 하수도인 모양이었다. 정윤은 관이 끊긴 사이의 공간에 빠져버린 거였다.

정윤의 고개를 들어 추락한 구멍의 입구를 올려다봤다. 빗줄기 때문에 눈을 제대로 뜰 수가 없었다. 가늘게 뜬 눈으로 구덩이에서 입구까지 오를 길을 탐색했다. 하지만 구덩이의 전체적인 형태가 위로 좁아지는 모양이라 혼자 힘으로는 불가능했다. 황급히 몸을 뒤적여 휴대폰을 찾아봤지만 없었다. 작업 가방의 보조 주머니에 넣어 두었던 게 기억났다. 나는 한순간에 짜증으로 돌변해 정윤의 오른손으로 물웅덩이를 강하게 내려쳤다.

"너 괜찮아?"

위에서 들려온 영어에 깜짝 놀라 고개를 들었다. 구덩이 입구에서 물에 젖어 갈색처럼 보이는 머리카락을 늘어뜨린 마르셀이 걱정스럽게 내려다보고 있었다. 누구 때문에 이렇게 되었는데 걱정은. 병 주고 약 주는 마르셀의 태도가 거슬려 정윤의 미간을 구겼다. 눈빛도 날카롭게 만들어 노려봤다. 마르셀은 겸연쩍게 입술을 삐죽거리더니 이내 모습을 감춰 버렸다.

그제야 퍼뜩 실수했다는 걸 깨달았다. 지금 정윤에겐 휴대폰이 없는 데다, 이 근처는 사람이 잘 지나다니지 않았다. 조금 전의 치기 어린 행동이 후회되어 다시 한번 물웅덩이를 내려쳤다. 아까보다 더 높게 물이 튀었다.

이대로 무력하게 있을 수만은 없었다. 자리에서 일어나 흙벽으로 다가갔다. 손으로 짚고 올라갈 수 있을지 확인하기 위해 벽을 움켜쥐었지만, 그것은 정윤의 손안에서 그대로 바스러져 버렸다. 눈앞이 깜깜해졌다. 마르셀이 돌아와 주지 않는다면 이곳에서 죽음을 맞게 될지도 모른다. 두려움이 정윤의 심장을, 나를 덮쳐왔다.

그때 위에서 뭔가 바닥으로 툭, 떨어졌다. 굵은 전선 몇 가닥을 중간중간 묶어 매듭을 만든 밧줄이었다.

"그거 잡고 올라와. 내가 나무에 매 놨으니까 네 무게도 견딜 수 있을 거야!"

구덩이 입구에 다시 나타난 마르셀은 말을 마치고선 커다란 미소도 지어 보였다.

조금 망설여졌지만 방법이 없었다. 정윤은 바로 손을 뻗어 전선을 잡았다. 중간중간의 매듭 덕분에 물에 젖은 손으로도 안전하게 잡을 수 있었다. 정윤은 상체의 중심을 뒤로 넘긴 채 다리에 힘을 줘 흙벽을 천천히 올랐다. 운동화가 흙에 푹푹 박혀 들어갔지만 그 덕에 오히려 안정적으로 오를 수 있었다. 입구에 다다르자 마르셀이 밧줄을 두 손으로 쥐고 온몸으로 힘들게 받치고 있는 모습이 보였다.

여전히 나는 경계가 가시지 않은 상태였지만, 마르셀은 정윤을 보자마자 손 하나를 재빨리 뻗어 내밀었다. 정윤이 올라선 것을 진심으로 기뻐하는 표정으로.

잠시 망설이던 정윤이 결국 오른손을 내밀었다. 마르셀은 그 손을 낚아채듯 잡아 확 끌어당겼다.

텅 빈 폐공장의 한가운데, 낡은 페인트 통 안에서 타오르는 불꽃을 보며 말없이 몸을 말리는 정윤과 마르셀이 있었다.

정윤은 양반다리를 한 채, 마르셀은 두 팔을 뒤로 짚고 긴 다리를 앞으로 교차해 뻗은 채였다. 정윤은 구덩이의 흙탕물에 빠졌던 터라 그게 마르면서 온몸이 흙가루로 뒤덮여 있었다. 얼굴에도 흙탕물이 굳어 있었다. 타닥타닥. 나무 타는 소리만 두 사람의 적막 속에서 울렸다.

갑자기 마르셀이 콧노래를 부르기 시작했다. 정윤은 들어본 적 없는 선율이었다. 하지만 폐공장에 잔잔하게 퍼지며 울리는 소리가 꽤 듣기 좋았다. 나도 모르게 정윤의 머리를 선율에 맞춰 까닥거렸다. 한참 그렇게 울리던 노래가 고조되다가 사그라들며 마침내 멈췄다.

정윤이 고개를 돌려 마르셀과 시선을 맞췄다. 마르셀은 눈웃음을 지으며 한 손을 들어 우아하게 인사하는 시늉을 했다. 마치 무대에서 성공적인 공연을 마친 오페라 가수처럼.

그 모습에 내가 속절없이 풀려버렸다. 마법에라도 걸린 듯 마르셀의 푸른 눈을 바라보며 영어로 물었다.

"내가 원망스럽지? 널 복도에서 보지 못했다고 확실하게 말하지 않아서 오해받게 했잖아. 넌 그 시간에도 여기 있었는데."

"그랬으면 네가 여기에서 그림 그리는 것도 말해야 했잖

아. 네 사정은 생각하지도 않고 날 구했어야 한다고 누가 강요할 수 있겠어? 돕든 말든 그건 네 자유야. 내가 책임을 묻는 건, 정당하지 않아."

마르셀이 어깨를 으쓱이며 아무렇지 않게 답했다. 오랜만에 듣는 미국식 영어 발음에 묘하게 그리움이 일었다. 내가 정윤의 안에서 들썩거렸다. 팽창하고 있었다.

"마르셀, 넌 착하구나. … 난 항상 착한 척만 했는데."

정윤은 영어 문장을 끝낸 후 시선을 다시 불꽃으로 돌렸다. 멍한 눈빛을 한 채 한국어로 나를 쏟아내기 시작했다.

"처음 연우에게 잘해줬던 것도, 담임 선생님께 착한 애로 보이고 싶어서였어. 연우네 집은 가난하니까, 부모님도 안 계시니까, 선생님이 대견하게 여기실 거니까. 진짜로, 걔를 진짜 친구로 생각해서 잘해준 게 아니었어. 그리고 사실… 그 일이 있기 전까진 나도 깨닫지 못했어. 그래, 처음엔 나도 내가 착해서 연우를 챙긴 줄 알았어. 그래서 내 본 모습을 깨달았을 때, 한없이 치졸한 나를 확인했을 때, 너무 창피했어. … 스스로가 너무나 싫어서 견딜 수가 없었어."

정윤의 고개가 떨궈졌다. 감은 두 눈의 눈꺼풀이 파르르 떨렸다. 내가 정윤을 통제하고 있는지 아닌지 알 수 없었다.

마르셀의 차분하지만 밝은 톤의 목소리가 들려왔다.

"착한 척하는 게 어때서? 네가 진짜 착한 사람이건, 착한 척을 하건, 받는 사람 입장에선 똑같아. 나는 상대가 선의로 느낀다면, 그건 선의라고 생각해."

정윤은 자세를 바꿔 가슴에 무릎을 끌어안았다. 턱을 무릎에 괸 채 영어로 말을 이었다.

"하지만 그 앨 그렇게 대했다는 게 너무… 미안해. 그래서 아파. 아파서 견딜 수가 없어. 그래서 도망쳐야 했어."

정윤이 눈을 감았다. 감은 눈 아래로 눈물이 주르륵 흘러내렸다.

마르셀이 엄지손가락을 뻗어 정윤의 볼에서 눈물을 닦아냈다. 정윤이 깜짝 놀라 고개를 들어 마르셀을 봤다. 마르셀은 싱긋 웃더니 재빨리 그 엄지를 정윤의 입술에 가져다 댔다.

"으앗, 뭐야! 퉤퉤!"

정윤이 한국어로 소리를 지르며 펄쩍 뛰었다. 흙가루가 느껴지는 자신의 눈물 맛을 지우기 위해 연거푸 침을 뱉어냈다.

마르셀이 그 모습에 한바탕 웃음을 터트리곤 양팔로 뒷머리를 받친 채 벌렁 드러누우며 말했다.

"지금 그 맛을 기억해! 평생 행복한 일만 계속되면 좋을 거 같지? 근데 막상 그렇게 되면 네가 행복하다는 사실조차

모를걸? 그 씁쓸하고 비릿한 맛을 네가 알고 있어야, 고소하고 달콤한 맛을 만났을 때 그게 얼마나 고맙고 행복한 맛인지 알 수 있는 거야. 지금 겪는 그 아픔도 언젠간 행복을 느끼고 감사할 수 있는 밑거름이 될 거란 얘기야. 그러니까, 마음껏 아파해, 정윤. 느끼고 기억해야 해!"

태평하게 천장을 응시하는 마르셀의 얼굴을 바라보았다. 어느새 다 마른 금발이 반사되면서 불꽃에 맞춰 금빛이 춤을 추는 것처럼 보였다. 잠시 그 오묘한 흐름에 시선을 뺏겼던 정윤이 마르셀 옆으로 나란히 누우며 말했다.

"너 되게 '꼰대'처럼 말한다."

"응? 뭐라고? 꽁… 그게 뭐야?"

문장은 영어로, 하지만 가장 중요했던 단어는 한국어를 쓴 정윤을 돌아보며 마르셀이 의아한 표정으로 물었다. 정윤은 미소만 지을 뿐 답하지 않았다. 잠시 답을 기다리던 마르셀은 결국 피식 웃으며 고개를 돌렸다. 그렇게 두 사람은 공장의 천장을 때리는 빗소리를 들으며 말없이 한참의 시간을 보냈다.

빗방울이 부딪치는 소리가 잦아들었다. 그 소리 사이로 정윤이 읊조리듯 물었다.

"근데 넌 어떻게 그런 걸 다 알아? 나랑 비슷한 나이잖아."

"으음, 어릴 때부터 엄마가 나더러 그러셨어. 환생을 여러 번 한 인생 같다고. 어쩌면 정말로 그런가?"

마르셀이 작게 코웃음을 덧붙이자, 정윤도 따라 웃다가 한층 가벼워진 목소리로 다시 물었다.

"마르셀, 네 이름 뜻이 '마르스에 헌신하다' 맞지?"

"그래? 그런 뜻이 있었어? 우리 엄마가 과연 그걸 생각하고 지어주신 건지는 모르겠네. 아마 모르셨을걸? 하하하!"

연우가 마르셀과 친하게 지냈으면 좋겠다고 했을 때, 정윤은 마르셀의 이름에 관해 찾아봤었다. 말을 건넬 기회가 생기면 이야깃거리를 만들고 싶어서, 그렇게 친해질 계기를 잡기 위해서였다.

마르셀이 정작 자신의 이름 뜻에 대해 모르고 있을 거라고는 예상치 못했지만, 어쨌든 이것 때문에 웃었으니 그걸로 좋았다.

마르셀이 몸을 돌려 한쪽 팔로 머리를 받치며 물었다.

"정윤! 네 이름은 무슨 뜻인데?"

"어? 음… 빛나고 빛나다? 찬란하다?"

"와우! 엄청나네? 네가 막 반짝거린다는 거야?"

마르셀은 장난스럽게 되묻더니 다시 털썩 드러누웠다. 곧장 양팔을 위로 번쩍 들어 올리며 크게 외쳤다.

"정윤! 찬란하다! 반짝이다!"

마르셀의 목소리가 공장에 메아리쳤다. 그리고 그게 잦아들 무렵, 나지막이 덧붙였다.

"지금의 비릿한 시간도 나중에 돌아보면 찬란할 거야. 그러니까, 그렇게 살아, 정윤."

삽시에 정윤의 시야가 빗물이 가득 차듯 흐려졌다. 내겐 따뜻한 기운이 차올랐다.

프랑스에 온 이후, 내가 가장 편안해진 순간이었다. 아니, 어쩌면 그 사건 이후 처음으로.

6

잠시 그쳤던 비가 정윤이 버스에서 내려 아파트로 향하는 길에 다시 쏟아지기 시작했다. 결국 정윤은 온몸에서 물을 뚝뚝 떨어뜨리며 아파트에 들어섰다. 고모가 정윤을 보고 깜짝 놀라 뛰쳐나오며 소리쳤다.

"너 어떻게 된 거야?! 전화기는 왜 꺼놨어?"

"아…."

마르셀과 시간을 보내느라 휴대폰을 잊어버리고 있었다. 재빨리 가방에서 꺼내 확인해보니 전원이 꺼져 있었다. 배터리가 방전된 모양이었다.

“아, 배터리가 방전됐었나 봐. 고모, 무슨 일 있었어? 미….”

눈에 눈물을 가득 담은 고모가 정윤을 와락 끌어안으며 외쳤다.

“학교에서 안 왔다고 전화가 왔는데, 넌 연락도 안 되지! 난 네가 혹시나 이상한 맘을 먹었나 해서 얼마나….”

거기까지 말하곤 더는 말을 잇지 못했다. 고모는 그저 정윤의 목덜미와 등을 안은 팔에 더욱 힘을 주었다. 그녀의 온기에 나도 녹듯이 긴장이 풀렸다.

“미안해, 고모. 근데 나 지금 너무 젖어서….”

“난 괜찮아.”

“아니, 내가 안 괜찮아. 옷 갈아입고 싶어.”

장난스러운 정윤의 말에 고모가 몸을 확 떼어냈다. 고모는 못마땅한 듯 눈을 흘겼지만, 정윤은 빙그레 미소를 지어 보였다.

고모가 오른 주먹으로 정윤의 어깨를 쥐어박으며 말했다.

“어휴, 못된 조카 같으니라고! 내가 너 같은 애 낳을까 봐 결혼을 안 했어!”

“에…? 사실은 못 한 거면서.”

“뭐어? 얘가 진짜?!”

고모의 목소리 톤이 높아지자 정윤이 재빨리 거실로 도망쳤다.

고모가 정윤을 뒤쫓으며 외쳤다.

“정윤이 너 거기 안 서? 저게 이제 다 컸다고 고모한테 못하는 말이 없어! 내가 널 어떻게 키웠는데?!”

“에이, 솔직히 고모가 날 키운 건 아니잖아? 엄마 아빠가 키웠지.”

거실 소파를 사이에 둔 채 고모와 대치하며 장난스레 답했다. 고모는 맘에 들지 않는 듯 얼굴을 한껏 찡그리더니 양팔을 벌린 채 정윤을 구석으로 몰기 시작했다. 재빨리 몸을 움직여 보았지만 고모의 움직임은 생각보다 빨랐다. 빠져나갈 틈이 보이지 않자, 우린 결국 뻔한 방법을 선택했다.

“어?”

창 쪽으로 고개를 돌리며 최대한 놀란 목소리로 소리쳤다. 고모의 얼굴이 곧바로 그쪽으로 돌아갔다. 그 사이 소파를 뛰어넘고 고모를 지나쳐 화장실로 들어갔다.

“야아, 너어…!”

고모가 바로 뒤쫓으며 소리쳤지만 우린 이미 화장실 문까지 잠근 후였다.

손바닥으로 문을 두드리며 고모가 말했다.

"너 정말 이러기야? 맘 약한 고모를 놀려먹기나 하고! 너 여기서 먹여주고 재워준 거 당장 다 갚아!"

"글쎄? 고모가 얼마나 잘 해줬는지 계산 좀 해보고 결정할게. 하하하!"

문에 등을 기댄 정윤이 웃느라 배를 움켜쥐었다. 그런데 갑자기 아무런 소리도 들리지 않았다. 불안해하는 나를 인식한 정윤이 웃음을 멈추고 조용히 고모를 불렀다.

"고모…?"

"… 너 그렇게 웃는 거, 여기 와서 처음이야."

묵직한 뭔가가 나를 강타했다. 정윤에게까지 전해졌다. 입꼬리가 가늘게 떨리더니 살짝 위로 솟았다. 시야가 천천히 뿌옇게 흐려졌다.

문 너머에서 긴장과 기대가 섞인 고모의 목소리가 이어졌다.

"정윤아, 나 이제 안심해도 되는 거지?"

소리를 내어 답을 하진 못했다. 다만 손바닥으로 눈에 고인 눈물을 훔쳐내며 정윤이 짧게 고개를 끄덕였다. 고모의 물음에 소리를 내어 답할 수 있게 되려면 남은 일을 하나 더 마무리해야 했다.

다음날, 정윤은 첫 수업이 진행될 교실 뒷문으로 들어서다 복도로 나오던 교감 선생님과 부딪칠 뻔했다. 놀란 선생님이 정윤을 확인하곤 반갑게 물었다.

"아, 정윤? 어떻게 지내니?"

"아, 네. 잘…."

"보호자 분께서 아침에 연락하셨더구나. 어제도 아파서 못 왔다면서? 좀 괜찮아?"

고모가 미리 전화를 넣은 모양이었다. 정윤은 곧바로 고개를 주억거리다 교감 선생님 뒤에 선 아이를 발견하고 눈이 동그래졌다. 다프네가 어쩔 줄 모르는 표정으로 정윤의 얼굴을 힐끔거리고 있었다.

"그래, 다행이구나. 오늘 수업 잘 듣고! 다프네는 따라와."

"네, 선생님…."

다프네는 기어들어 가는 목소리로 답한 후 한숨을 푹 쉬며 뒤를 따랐다.

두 사람이 교실 복도로 멀어지자, 아이들은 곧바로 삼삼오오 무리를 지어 떠들썩하게 뭔가를 이야기하기 시작했다. 궁금해진 정윤이 가까이에 있던 아이들 무리에게 다가가 물었다.

"무슨 일이야?"

한 남자아이가 정윤을 돌아보며 답했다.

"어, 다프네 아이패드를 찾았대!"

"아, 정말? 어디서? 그럼 훔친 범인을 잡은 거야? 누구였는데?"

"그게 누가 훔친 게 아니었대. 아니, 다프네가 훔쳤다고 해야 하나?"

"뭐?"

예상치 못한 아이의 답에 놀라 되물었다. 옆에서 다른 아이가 끼어들며 말했다.

"자작극이었던 거지! 누가 상상이나 했겠어? 다프네 같은 모범생에, 세상을 다 가진 것 같았던 아이가 그런 짓을 했을 거라고!"

다프네의 무리였던 여자아이였다. 말을 마치며 고개까지 절레절레 흔들자 남자아이가 물었다.

"도대체 왜 그런 거래? 넌 다프네한테 들은 거 있어?"

"어, 어? 음…. 말해도 될지 모르겠는데…."

"아, 곤란하면…."

남자아이가 괜한 걸 물었나 싶어 질문을 거두려 했지만, 여자아이는 상체를 앞으로 기울이며 의뭉스럽게 속삭였다.

"너희들만 알고 있어야 해!"

그 말에 나는 급히 정윤의 몸을 아이들 사이로 밀어 넣었다.

여자아이는 자신을 둘러싼 친구들의 호기심 어린 눈빛을 한 번 둘러보더니 신이 나서 얘기를 시작했다.

"다프네 부모님이 화목해 보였지만, 사실 얼마 전부터 이혼 절차를 밟고 계셨나 봐. 다프네는 그걸 막아보려고 했는데, 아빤 아예 짐을 싸서 나가시고 엄만 다프네를 자꾸만 피하셨던 거지. 그래서 부모님을 학교에 불러서라도 만나게 하려고 절도 사건을 꾸민 거야. 그런데 교감 선생님이 연락했는데도 엄마는 학교에 처리를 일임해 버리신 거지. 아빠에겐 뒤늦게 연락이 갔는데, 알고 보니 아이패드를 사주실 때 이미 위치 추적을 설정해두셨던 거야. 그걸로 확인해보니까 학교에서 도난당했다는 물건이 집 근처 공원에 있다고 나온 거야. 아이패드는 공원 벤치 밑에서 발견! 다프네의 이름이 적힌 보조가방에 넣어져 숨겨져 있었다나. 혹시나 해서 경찰이 지문까지 떠봤는데 다프네 지문 외에는 나오지 않은 거지. 결국 아빠가 따져 묻자 다프네가 사실을 털어놓게 된 거야!"

말을 마친 여자아이가 어깨를 으쓱거렸다. 그러다 정윤과 눈이 마주치자 안타깝다는 듯 덧붙였다.

"다프네가 도둑맞은 거처럼 꾸미느라 거짓말까지 하는 바람에 너랑 마르셀만…. 응? 근데, 정윤, 내 말 다 알아들었어? 너, 프랑스어 잘 못하잖아?"

"아, 그…."

당황스러워하며 말을 잇지 못할 때 뒷문으로 헤드셋을 쓴 마르셀이 들어섰다. 교실 안 아이들의 시선이 즉시 마르셀에게 쏟아졌지만, 본인은 전혀 의식하지 못한 채 언제나처럼 맨 뒷자리로 가 자리를 잡았다.

아이들은 마르셀의 눈치만 살필 뿐 다가가지 못했다. 다프네가 애꿎은 너를 모함했던 걸 아느냐고, 그 사건의 진실이 마침내 밝혀졌는데 넌 어떤 기분이냐고, 모두 눈으로는 묻고 있었지만 섣불리 다가가 묻진 못했다.

그때 정윤이 마르셀에게로 걸음을 뗐다. 아이들의 눈이 우리를 주시했다.

정윤의 그림자가 책상 위로 드리우자 마르셀이 고개를 들더니 환하게 미소를 지었다. 헤드셋을 벗곤 영어로 인사를 건넸다.

"반짝이! 안녕? 어젠 잘 들어갔어?"

"응, 덕분에." 미소로 답하며 옆의 의자를 끌어와 마르셀과 마주 보며 앉아 덧붙였다. "다프네, 아이패드 찾았대."

"아, 그래? 다행이다! 교감 선생님도 한시름 놓으셨겠네.

나한테 물어보실 때 엄청 곤란해 보이셨거든."

"그거 다 다프네가 꾸민 거래. 거짓말한 거래."

"아아…, 어쩐지 그랬을 거 같았어. 그래도 큰 문제 없이 해결됐나 보네, 그거면 됐지!"

말을 마친 마르셀이 다시 한번 빙그레 웃어 보였다.

혼란스러웠다. 정윤의 미간을 찡그리게 만들었다.

그랬을 것 같았다니, 마르셀은 모든 걸 알고 있었다는 걸까? 다프네가 거짓으로 도난 사건을 꾸미고 범인으로 자신을 모함했다는 것을 알고서도 태연히 진실이 밝혀지길 기다렸다는 건가.

마르셀의 마음을, 생각을 확인하고 싶었다.

"다프네가 밉지 않아? 걔는 이기적인 마음으로 널 곤란하게 만들었어. 하마터면 아무 잘못도 없는 네가 도둑으로 몰릴 뻔했잖아?"

상기된 말투였다. 마르셀은 조금 놀란 표정으로 정윤의 눈을 직시했다. 그러나 이내 웃음을 터트리더니 주먹으로 정윤의 어깨를 툭 건드리며 말했다.

"다프네는 아마, 꽤 힘들었을 거야. 애들은 걔가 풍족한 가정에서 학교생활도 잘하고 인사이더로 살아서 남부러울 것 없다고 생각했지만, 난 느낄 수 있었어. 걔가 외롭다는 거, 고민거리가 있다는 거. 아이들 사이에서 화려하게 웃으며 이야기할 때도 찰나에 스치는 그 감정들이 내겐 보였거든."

"어떻게…?"

"혼자 지내는 시간이 많다 보면 오히려 다른 사람을 더 잘 이해할 수 있게 돼. 관찰할 시간도 많아지는 데다, 작은 몸짓 하나에서 읽을 수 있는 감정들도 구분할 수 있거든. … 그리고 말했잖아, 난 환생을 많이 한 사람이라니까?"

짓궂은 표정으로 마르셀이 얼굴을 앞으로 쑥 내밀었다. 정윤이 멍한 표정으로 입술을 떼려는 순간, 익숙한 목소리가 뒤에서 들렸다.

"마르셀"

눈과 코끝이 빨갛게 상기된 다프네였다. 어느새 교실로 돌아왔는지, 마르셀의 책상 옆에 선 채 마르셀과 정윤의 얼굴을 번갈아 봤다. 그러다 마르셀에게로 시선을 고정하곤 조심스레 입을 열었다.

"미안해. 내가… 괜한 일을 벌여서 너에게 피해를 줬어. 처음부터 그럴 생각은 아니었는데, 그냥 아이패드만 도둑맞은 것처럼 하려고 했는데…. 갑자기 선생님이 그 자리에 누가 없었냐고 물으니까, 친한 애들을 제외하고 떠오르는 이름을 대려다 보니까, 나도 모르게 네 이름이 튀어나와 버렸어. 정말 미안해, 고의가 아니었어. 정말로 나도 모르게….”

다프네의 눈에서 눈물이 흘러내렸다. 다프네가 재빨리 손으로 닦아냈지만, 사과의 말을 되풀이하는 중에도 계속 멈추지 않고 흘렀다.

마르셀이 다프네를 올려다보며 담담하게 말했다.

“괜찮아. 오해 풀렸잖아.”

다프네가 놀란 눈으로 마르셀을 응시했다. 마르셀은 미소까지 지으며 다정하게 덧붙였다.

“네 마음이 많이 힘들었겠다. 고생 많았어.”

“고마워, 마르셀. 고마….”

다프네가 말을 잇지 못하고 두 손으로 얼굴을 가린 채 울음을 터트렸다. 마르셀이 당황해하는 사이, 아이들이 달려와 다프네를 둘러쌌다. 다프네는 괜찮다며 고개를 저었지만, 아이들 몇은 마르셀을 책망하듯 흘겨봤다. 마르셀은 당황스러운 듯 멋쩍게 웃어 보였다.

다프네가 나타나서 사과하고 마르셀이 위로하는 모습이 눈앞에서 펼쳐진 후, 나는 동요하기 시작했다. 나인지, 정윤의 머리인지 알 수 없었지만, 어떤 힘이 작용해 정윤의 시선을 들어 올렸다. 그렇게 창밖에 서 있던 연우와 눈이 마주쳤다. 표정없는 얼굴을 한 연우가 씁쓸함이 묻어나는 눈길로 정윤을 바라보고 있었다.

정윤이 자리를 박차고 일어섰다. 마르셀이 깜짝 놀라 쳐다봤지만, 정윤은 주머니 속 휴대폰의 존재를 확인한 후 곧바로 교실 밖으로 뛰쳐나갔다. 그대로 냅다 달렸다. 건물을 나가서 반 바퀴를 돌아 연우가 서 있던 자리를 향해 뛰었다.

그렇게 그곳에 정윤이 도착했다. 가쁘게 숨을 몰아쉬며 주위를 둘러봤지만 연우는 사라지고 없었다. 정윤은 연우가 서 있던 자리에 서서 교실 안을 들여다보았다. 마르셀의 의아한 눈빛과 정윤의 눈빛이 얽혔다. 정윤은 천천히 숨을 고르며 벽에 등을 기댔다. 빠르게 뛰는 심장 박동은 달려서라기보다 지금 정윤이 하려고 하는 일 때문인 것 같았다.

머뭇거리는 손으로 주머니에서 휴대폰을 꺼내 들었다. 주소록을 뒤져 전화번호를 찾았다. 한때는 매일, 아니, 하루에도 몇 번씩 걸었던 번호였지만, 지난 1년 동안은 바라보기만 했던 번호이기도 했다.

정윤의 손을 천천히 움직여 그 번호 앞에 국가번호를 추가한 후 통화버튼을 눌렀다.

7

3년 전, 본격적인 수험생의 대열로 들어선다는 긴장과 설렘으로 고등학교에 진학했다. 언제나 그래왔듯이 정윤은 새 학교 새 학급에서 또다시 반장이 되었다. 담임 선생님은 정년퇴임을 얼마 남겨두지 않은, 나이가 지긋한 국어과 선생님이었다. 활기가 넘치진 않았지만 교육에 대한 열정과 아이들에 대한 애정을 놓지 않은 전형적인 교육자. 그래서였던지, 정윤이 반장이 되고 얼마 지나지 않아 교무실로 불러 당부했다.

"정윤아, 새로운 학교생활에 적응하느라 바쁘겠지만, 그래도 네가 반장이니까 반 친구들을 조금만 더 살뜰히 챙겨줬으면 좋겠구나. 선생님도 신경 쓰겠지만, 아무래도 아이들을 가장 가까이에서 보고 챙길 수 있는 건 너니까."

정윤은 문제없다는 듯 고개를 끄덕였다. 이런 상황은 익숙해진 지 오래였다.

선생님은 자신감 넘치는 정윤의 모습에 안심된다는 듯 출석부를 펼치며 말을 이었다.

"특히 이 친구는 할머니와 둘만 사는데…."

출석부 리스트를 가리키는 선생님의 손끝에 연우의 이름이 있었다.

그렇게 처음엔 반장으로서의 책임감으로 연우에게 다가갔다. 하지만 연우는 예상보다 밝은 성격의 소유자였다. 정윤과 관심사나 취향도 비슷했다. 담임 선생님의 부탁과 하등 상관없이 자연스레 둘은 어울렸고 곧 절친이 되었다. 어쩌면 다른 반이었더라도 서로를 우연히 알게만 됐다면 분명히 친구로 발전했을 거였다.

둘은 많은 면에서 비슷했지만, 대부분 정윤이 조금씩 더 뛰어났다. 미술도, 음악도, 체육에서도 비등하면서도 조금 더. 어쩌면 단순히 가정환경으로 인한 조기교육의 차이 때문이었는지도 모른다.

성적은 연우가 많이 뒤처졌다. 기본기가 약해서 정윤보다 더 오랜 시간을 공부해도 격차를 따라잡지 못했다. 한 과목의 성적을 올려놓으면 다른 과목을 망치는 식으로 전체 등수에서는 언제나 정윤에게 밀렸다. 하지만 연우는 그것에 불만을 표하거나 기분 나빠하지 않았다. 그저 가장 친한 친구가 자신보다 뛰어나다는 것을 자랑스러워했다. 정윤은 그런 연우가 멋지다고 생각했고 고맙기도 했다. 그래서 연우의 공부를 열심히 도왔다. 수업을 이해하고 외우는 것을 돕는 것은 물론, 정윤이 학원에게 얻은 시험 잘 보는 요령까지 전수했다. 그러자 어느 시점부터 연우의 성적이 차츰 올라가기 시작했다. 느렸지만 천천히, 꾸준히 한 계단씩 등수를 올렸다.

그걸 지켜보며 나는 터질 것 같은 기쁨으로 가득했었다. 정윤이 가장 사랑하는 친구가 성장해가는 것을 보는 거였으니, 우린 행복했다.

2학년이 되면서 연우와 반이 갈렸다. 그렇다고 정윤과 연우의 우정이 멀어진 건 아니었다. 쉬는 시간 틈틈이 서로의 교실을 찾았고, 요일을 정해 일주일에 한 번은 꼭 점심을 함께 먹었다. 하굣길에도 언제나 함께였다. 2학년이 되어 처음으로 치르는 중간고사를 준비할 때까지만 해도 마찬가지였다.

그 성적이 발표되던 날의 점심시간, 연우가 정윤의 교실로 뛰어 들어왔다.

정윤이 연우를 발견하곤 반갑게 물었다.

"웬일이야? 오늘은 점심 같이 먹는 날 아니잖아? 내가 헷갈렸나?"

"나 성적 올랐어, 정윤아! 그것도 엄청!"

정윤의 말에 상기된 연우의 목소리가 겹쳤다. 연우의 얼굴이 흥분을 제어하지 못하고 볼이 계속 움찔거렸다.

"정말? 축하해! 얼마나 올랐는데? 아니, 몇 등 나왔어?"

정윤의 성적은 언제나 비슷했다. 전교 석차 8등을 전후로

1, 2등이 오르락내리락했다. 그래도 10등을 넘어간 적이 없었고, 그 정도면 정윤이 원하는 대학과 학과로 진학할 수 있는 수준이었다. 이번 시험에서도 전교 9등. 나쁘지 않았다.

"무려 13등이나 올랐어!"

기쁨으로 가득 찬 연우의 말이 귀로 들어온 순간, 나는 얼어버렸다. 대신, 정윤의 머리가 빠르게 계산을 해냈다. 연우의 지난 성적은 전교 21등. 거기서 13등이 오른 거라면.

"… 그럼, 8등?!"

정윤의 입에서 휘몰아치듯 소리가 나왔다. 충격에 휩싸인 나를 알아채지 못한 채 연우가 크게 고개를 끄덕였다.

그 순간, 나는 공허가 되었다. 아무것도 없었다. 정윤의 얼굴에서도 표정을 사라지게 만들었다. 하얗게 질려버린 얼굴로 아무것도 모른 채 웃고 있는 연우를 말없이 바라보게 했다.

연우가 뒤늦게 뭔가 이상하다는 것을 알아채고 정윤을 불렀다.

"정윤아? 왜… 그래? 너, 괜찮아?"

"아…. 어, 괘, 괜찮아!"

재빨리 정신을 차리며 답했지만 순식간에 눈에 눈물이 차올랐다. 나는 정윤의 안에서 배배 꼬여 비틀리고 있었다. 공허를 밀치고 들어선 감정은 어떤 상태인지 판단이 안 될 만큼 복잡하고 어지러웠다. 그게 눈물을 만들었던 거다. 정윤은 그런 나를 감추기 위해 재빨리 얼굴을 돌렸다. 연우에게 등을 보인 채로 고개만 살짝 돌려 말했다.

"축하해. … 근데 나 오늘은 같이 밥 먹기로 한 친구들이 있어서. 나중에 보자! 잘 가!"

그대로 자리로 향했다. 등 뒤로 연우의 시선이 느껴졌지만 나는 정윤의 고개가 돌아가지 않도록 안간힘을 써서 붙잡았다. 자리에 앉으면서 짝꿍에게 아무 말이나 지껄였다. 그 모습을 본 연우가 걸음을 떼어 사라지는 걸, 보지 않고도 느낄 수 있었다.

짝꿍이 정윤의 말을 자르며 어이가 없다는 듯 말했다.

"뭐라고? 갑자기 뭔 뜬금없는 소리야? 무슨 소린지 전혀 못 알아먹었어. 표정은 또 왜 그래?"

"아무것도 아니야. 밥 맛있게 먹어!"

정윤은 자리에서 일어나 도망치듯 교실을 나왔다. 혹시라도 연우와 마주칠까 두려워 화장실로 곧장 뛰었다. 칸막이 뒤로 몸을 숨긴 채 숨을 골랐다. 제어할 수 없는 나를 감당하지 못하고 두 손에 얼굴을 묻어버렸다.

그렇게 시작되었다. 연우를 점점 견딜 수 없게 된 내가.

그날 하굣길엔 몸이 피곤하다는 핑계로 말을 줄였다. 연우가 걱정하며 집까지 배웅해주겠다고 했지만 우격다짐으로 버스 정류장에서 헤어졌다.

다음날 언제나 만나서 등교하던 자리에도 나가지 못했다. 늦잠을 자서 택시를 탔다고 문자로 거짓말을 하곤 학교에서는 최대한 마주치지 않으려 피했다. 연우가 교실로 찾아오면 다른 아이들과 이야기하느라 바쁜 척, 선생님의 심부름을 해야 하는 척, 급하게 화장실을 가는 척 자리를 피했다.

그리고 얼마 후, 소문이 돌았다. 2학년 첫 시험의 시험지가 유출됐었다는. 그리고 시험 전날 야간 자율학습 시간에 교무실 복도에서 목격된 두 사람, 정윤과 연우가 있었다고. 자연스레 급격히 석차가 상승한 연우가 의심의 대상이 됐다.

그 일로 정윤이 교무실로 불려갔을 때, 연우에게 싹튼 시기와 질투가 나를 움직여버렸다. 정윤이 진실도, 거짓도 아닌 말을 하게 만들었다. 모호한 말은 의미가 확장되어 아이들 사이에 퍼져 나갔다. 명확한 증거가 없었지만 연우는 시험지를 훔쳐 성적이 오른 사기꾼으로 낙인찍혔다.

연우에게 미안했다. 내 작은 선택이 연우의 삶을 흔들어버린 것이.

하지만 그 감정보다 나를 더 크게 채운 것은 안도였다. 정윤이 연우보다 뛰어나다는 걸 증명했다는 안도. 그래서 그냥 가만히 있었던 거다. 소문이 퍼져나갈 동안 연우를 도울 아무 행동도, 말도 하지 않고.

그런데 토요일 저녁, 저녁 식사가 거의 끝날 무렵 초인종이 울렸다. 정윤의 집 문 앞에 연우가 비장한 표정으로 서 있었다.

"잠깐만 얘기 좀 할 수 있어?"

"… 옷만 갈아입고 올게."

연우의 얼굴을 보니 차마 거절할 수 없었다. 부모님께 연우의 방문을 알리곤 곧바로 밖으로 나섰다. 정윤의 집은 부모님이 소유한 작은 건물의 맨 위층이었다. 계단으로 연결된 옥상을 정윤이 손가락으로 가리키며 말했다.

"옥상?"

연우가 굳은 표정을 풀지 않은 채 고개를 끄덕였다. 정윤은 무겁게 걸음을 옮겨 옥상으로 향하는 계단을 올랐다. 연우가 조용히 뒤를 따랐다.

하늘에 뜬 달이 속절없이 밝았다. 구름도 하나 없어 달빛이 그대로 옥상에 마주 선 둘에게로 쏟아졌다. 그 덕에 조명이 없는데도 두 사람의 얼굴이 환히 드러났다.

"… 미안해, 정윤아."

갑자기 연우가 마주 선 정윤에게 말했다.

나는 다시 얼어붙었다. 어찌 된 상황인지 이해할 수가 없었다. 연우가 눈을 내리깐 채 살짝 목소리를 떨며 이야기했다.

"네 마음을 생각하지 못했어. 그냥 내 성적이 오른 것만 생각하고, 네가 성적이 오르지 않아서 힘들었을 거란 생각은 미처 못 했어."

그 뒤로도 이해하기 힘든 사과가 이어졌다.

"근데 난 정말 시험지를 훔치지 않았어. 다른 사람들은 믿지 않아도 상관없어. 다만, 너만, 정윤이 너만은 나를 믿어줬으면 좋겠어!"

내가 움찔거렸다. 가늠할 수 없는 분노가 나를 점점 채웠다. 정윤의 머리가 위험하다는 신호를 보냈지만, 나는 받아들이지 못했다.

연우의 마음은 나보다 훨씬 성숙했다. 유일하게 나를 터놓는 친구라고, 아낀다고 했던 절친의 성적이 단 한 번 더 잘 나왔다는 이유로 시기하고 질투하던 나의 민낯을 마주하게 했다. 자신을 모함한 셈이나 다름없는 정윤을 용서하는 것도 모자라, 우정을 지키기 위해 먼저 사과했다. 자신의 자존심을 희생하더라도 정윤을 소중하게 여긴다는 걸 여과 없이 드러냈다.

그러나 그때의 내게 연우의 의도는 중요하지 않았다. 연우는 정윤의 마음인 내가 치졸한 존재로 인지되게 해버렸다. 좋은 친구, 착한 친구로 남고 싶었던 정윤의 진짜 실체를 적나라하게 마주하도록 했다. 달빛이 두 사람의 얼굴을 비추던 밝기만큼 너무도 선명하게.

나는 정윤을 보호하기 위해 뭔가를 해야 했다. 연우가 나를, 정윤을 다시는 괴롭히지 못하게, 정윤이 진실을 깨닫고 슬퍼하지 않도록 그 아이를 정윤의 삶에서 내보내야 했다.

그래서 연우를 밀어버린 거다.

한 번, 두 번, 세 번.

내가 툭, 툭, 밀 때마다 연우는 조금씩 뒤로, 더 뒤로 밀려났다. 그렇게 옥상 끄트머리까지 밀려났다. 그리고 더는 물러날 곳이 없던 그 자리에 섰을 때, 마지막으로 온 힘을 다해 밀어버렸다.

그렇게 연우를 없애버렸다. 나에게서.

정윤은 그 장면을 떠올리며, 상상하며, 울먹였다. 귀에 휴대폰을 댄 채 과거의 나를 책망하고 도망친 자신을 후회하며 눈물을 글썽거렸다.

휴대폰에선 계속 발신음만 들려오고 있었다.

그 시간을 견디지 못하고 정윤의 눈에서 눈물이 흐르기 시작했다. 전화기 너머에서 답할 누군가를 기다리며 하염없이 흘러내렸다.

"여보세요?"

마침내 응답한 목소리는 내가, 정윤이 그토록 다시 듣고 싶어 했지만 그만큼 두려워했던 이의 목소리였다.

정윤은 답을 하기 위해 입술을 뗐지만 울음이 터져 말을 하지 못했다. 급히 눈물을 삼키자 비릿한 맛이 혀 안쪽 깊숙한 곳에서 느껴졌다.

"… 정윤? 너야?"

정윤의 귀에 너무도 익숙한 그 목소리, 그 따뜻한 말투, 익숙한 억양이 흘러들었다. 정윤의 머리가 만들어낸 목소리가 아니라, 살아있는 진짜 연우의 목소리였다.

정윤이, 어쩌면 내가 그동안 사무치게 그리워했던.

"… 미안."

오랜 시간을 묵혔던 그 말이 정윤의 입에서 나가던 순간, 나는 다시 정윤의 머리와 하나가 되었다.

오늘의 이불킥

김이환

십 년 전, 서울 곳곳에 포털과 던전이 열리고 인간계와 마계가 공존하게 됐습니다. 인간과 마족이 교류를 시작하면서 인간도 마계 학교에 다닐 수 있게 됐어요. 제가 무사히 마계 고등학교를 졸업해서 마법 대학교에 입학하면 첫 인간 세계 출신 마법사가 되겠죠. 잘 할 수 있을까요?

첫 번째 편지

수빈에게.

마계 고등학교에 잘 도착했어. 배웅 나와줘서 고마워. 아침 일찍 일어나기 힘들었을 텐데 나오느라 고생했어. 지금

기숙사 내 방에서 편지를 쓰고 있어.

마계에 도착하자마자 연락하고 싶었는데 너도 잘 알겠지만 여기는 핸드폰도 인터넷도 없어. 소식을 전할 방법은 편지밖에 없어. 편지도 인간계까지 가려면 며칠 걸려. 답답하긴 한데, 주말에 인간계로 외출 나가서 가족도 친구도 만날 수 있으니까 며칠만 참으면 되겠지.

환경은 좋아. 날씨도 좋고 공기도 깨끗하고. 마계에는 공장이 없어서 그런가 봐. 근방에 마그마와 연기가 흘러나오는 화산이 있긴 한데 결계로 잘 막아놔서 괜찮대. 눈에 보이는 거리에 화산이 있으니까 무서운데, 마계 사람들은 전혀 걱정 안 해. 우리도 서울 위쪽에 휴전선이 있는데 별 걱정 안 하고 살잖아, 그런 걸까?

일 년 동안 기숙사 생활이라니 막막하지만, 마계 대학에 가려면 일 년 이상 마계 고등학교에 다녀야 한다는 규정이 있는데 어쩌겠어. 그렇다고 가족이 마계에 다 이사 와서 통학할 수도 없고. 일 년만 참으면 되겠지.

아직 하루도 안 지났는데 가족도 친구도 보고 싶고 집에 가고 싶어. 정말 웃기지? 하루가 뭐야, 몇 시간도 안 됐는데… 혼자 있으니 불안하고 앞으로 할 공부 생각하니 걱정되고 그래서 편지를 쓰고 있어.

오늘 첫 수업을 했는데 첫날부터 엄청 멍청한 실수를 저질렀어. 정말 쪽팔려서 미치겠는데 어쩌면 좋지? 아직도 얼굴이 화끈거려서 계속 이불킥하고 있어.

마계 고등학교는 정말 커. 학생도 오천 명이 넘고, 반이 다섯 개인데 한 반에 백 명이 넘어. 백 명이라니 믿어지니? 학교가 아니라 큰 학원에서 강의 듣는 것 같아. 고등학교 오리엔테이션에서도 인간계 대학교와 비슷하다고 말을 듣긴 했는데, 고등학생인 내가 대학교가 어떤 줄 어떻게 알아. 학교 건물도 크고 으리으리하고 분위기도 무섭거든. 처음 봤을 때 꼭 대마왕이 살 것처럼 생겼다고 생각했는데, 실제로도 마왕성이었대. 대마왕은 오래전에 용사가 죽였고 지금은 학교로 쓰지만. 그래도 대마왕이 걸어놓은 흑마법이 군데군데 남아 있어서 학교 위에는 항상 먹구름이 끼고 번개도 자주 쳐. 학교로 지은 건물이 아니라 구조도 복잡하고 길 찾기도 어려워. 벽도 바닥도 다 돌이고 군데군데 횃불도 걸려 있어. 길 잃고 헤매다가 지하 미궁 같은데 들어가서 못 나올까 봐 무서워.

첫날 첫 수업부터 실수의 연속이었어. 교실 찾기가 어려워서 한참 헤매다가 겨우 찾아 들어가서 앉았어. 그런데 엉뚱한 교실이었던 거야. 3학년 1반 교실인 줄 알았는데 2학년 1반이었어. 어째 이상하더라고. 교실이 3학년 교실이 아닌 것 같고 위치도 내가 받은 안내서와는 미묘하게 달랐어. 그래서 주변에 있는 아이들한테 물어보니까 2학년 교실이라는 거야.

2학년들이 나한테 선배님이라고 친절하게 불러주면서 3학년 교실 위치도 알려줬어. 2학년 아이들이 다들 친절하더라. 마족들이 보기보다 친절한 것 같아. 교실에서 나와서 3학년 교실을 찾아다니는데 아무리 돌아다녀도 못 찾겠는 거야. 그 와중에 벌써 수업은 시작했고. 학교가 다 조용한데 나 혼자 교실을 못 찾아서 복도를 달려가는데 무섭고 초조해서 진짜 울 뻔했어.

겨우 3학년 1반 교실을 찾아서 식은땀을 흘리면서 들어가는데, 누가 교탁 앞에 서 있더라고. 그래서 인사하면서 "늦어서 죄송합니다."라고 말하고 빈 자리로 들어가려고 했어. 그런데 교실 뒤쪽에서 "거기가 아니라 여기다."라고 말하는 거야. 선생님은 뒤에 있었어. 앞에 있는 건 자기소개하려고 나온 남학생이었어. 첫 시간이니까 자기 소개하기로 했대.

내가 얼떨결에 '선생님 죄송합니다'라고 했더니 이번에는 아이들이 막 웃는 거야. '선생님'이 아니라 '마법사님'이라고 해야 되거든. 나도 알고 있었고 호칭을 주의하라고 안

내서에도 나와 있었어. 어젯밤에 계속 연습했는데도 막상 마법사님을 마주치니까 안되더라고.

마법사님이 선생님이 아니라 마법사님이고, 인사는 자기한테 해야지 엉뚱한데 인사하면 어떡하냐고 나를 놀렸어. 그런데 내가 무슨 정신이었는지 교탁 앞에 있는 아이 보고 "이 친구가 나이 들어 보여서 선생님인 줄 알았어요."라고 한 거야. 그 말 듣고 걔 얼굴이 빨개졌어. 아이들도 막 웃고… 내가 왜 그랬지? 진짜 미쳤나 봐.

나중에 들었는데, 걔가 나이가 들어 보이는 얼굴인 건 맞대. 그래서 아이들도 웃었다고 그러더라고. 내가 진짜 왜 그랬는지.

빈자리에 들어가서 앉으려는데 마법사님이 기왕 앞에 서 있는 거 자기소개하라는 거야. "선생님이라고 하는 거 보니까 네가 인간계에서 전학 온 그 학생이냐?" 이렇게 묻더라고. 그래서 자기소개 했어. 서울에서 온 김서연이고 마계 대학에 가려면 일 년 고등학교를 다녀야 해서 전학 왔다고 말했어. 아이들도 인간을 신기해하더라. 내가 들어가려고 하니까, 마법사님이 이번에는 궁금한 거 물어보라고 아이들한테 말하는 거야. 진짜 마법사님 너무 사악하지 않니? 물어보긴 또 뭘 물어봐. 아이들이 인간은 마법이 아니라 과학을 쓴다는데 과학이 뭐냐고 물었어. 나는 뭐라고 설명해야 좋을지 몰라서 누구나 할 수 있는 마법 같은 거라고 했어.

어떤 아이는 서울에 가보고 싶다면서 나보고 어디에 사느냐고 물었어. 그런데 갑자기 집 주소가 생각이 안 나는 거야. 얼마나 긴장하고 있었는지 대충 알겠니? 장기동이 생각 안 나서 얼떨결에 기장동이라고 했어. 마법사님이 학생부 기록을 보더니 장기동 아니냐고 묻는 거야. 기록이 잘못됐으면 수정해야 한다면서. 내가 당황해서 "기장동에서 잠깐 태어나서… 아니, 태어나서 아주 잠깐… 살았어요. 그리고 장기동으로 이사를……." 이렇게 횡설수설했어. 마법사님이 그게 무슨 말이냐는 표정으로 보더라고. 그때쯤에는 정신이 혼미해져서 마법사님이 들어가라는 말도 안 했는데 그냥 들어가서 아무 자리에나 앉았어. 아이들은 내가 웃겼는지 막 웃었고.

수업은 어떻게 흘러갔는지 기억도 안 나. 한 시간 반을 그렇게 보냈어. 어쩜 일이 이렇게 꼬일 수 있지?

마계 학교는 수업이 정말 많아. 수업 시간도 훨씬 길고. 세 시간 동안 하는 수업도 있어. 교실을 옮기는 수업도 있는데 다행히 오늘은 없어서 교실을 찾다가 길을 잃거나 하진 않았어. 하루를 그렇게 보내고 내 방에 들어왔어.

기숙사에서는 원래 방 하나에 두 명 아니면 세 명이 쓰는데 나는 혼자서 써. 아마 인간이라서 혼자 방을 준 것 같아. 방에서 나가면 거실이 있고 거기 기숙사 아이들이 모여 있어. 인사는 했는데 그냥 들어왔어. 여긴 텔레비전이 없어서 거실에 앉아 있어봤자 아무 재미도 없어.

피곤한데 할 일은 없고 정신도 없고 가족도 친구도 보고 싶고, 서울도 그립고 해서 편지를 쓰고 있어. 종이에 마법 지팡이로 글자를 쓰고 있거든? 태블릿에 전자펜으로 쓰는 느낌하고 비슷하고 좋아. 편지 자주 보낼게.

대마법사가 될 줄 알고 부푼 마음을 안고 마계 학교에 갔다가 첫날부터 완전히 망한 김서연이 보냄.

두 번째 편지

수빈에게.

잘 있었니? 공부하고 학원 다니느라 바쁘겠지. 나도 수업도 많고 숙제도 많아서 고생하고 있어. 도서관에서 책을 엄청나게 읽고 있어. 다른 아이들보다 공부가 많이 뒤처져서, 특히 고대문자가 어려워서 따로 공부 중이야. 한 반에 백 명이라는 말을 했던가? 카톡이면 무슨 말을 했는지 확인할 수 있는데 편지는 보내고 나면 기억이 안 나. 편지를 저장하는 장치가 있으면 편할 것 같아. 마법으로 하나 만들어 둘까 싶어.

이번에도 이불킥할 만큼 쪽팔린 일이 있었어. 제발 내가 사고를 안 쳤으면 했는데 심지어 저번 사건보다도 더 쪽팔려. 너무 쪽팔려서 마음을 정리하고 편지에 쓸 용기를 내는 데 시간이 걸릴 정도였어.

사건의 시작은 오늘 아침에 내가 늦잠을 잔 거야. 마법 지팡이로 알람을 맞춘 줄 알았는데 잘못 맞췄나 봐. 자다가 일어났는데 이미 수업 시작 중이었어. 허겁지겁 교실로 갔지. 조용히 들어가려고 했지만 당연히 마법사님 눈에 띄었고. '마계의 역사와 지리'를 가르치는 마법사님인데 화난 표정이었어. 왜 늦었냐고 화난 얼굴로 물어서, 배가 아파서 그랬다고 거짓말을 했어. 마법사님이 배가 아프면 미리미리 양호실에 갔어야지 왜 수업에 늦냐면서, 당장 양호실로 가라고 화를 내더라고. 그래서 교실을 나와서 양호실로 갔지. 양호실에 가서 마법사님한테 배가 아프다고 말했더니 물약을 줘서 그걸 마셨어. 먹지 말았어야 했는데. 아침엔 아팠지만 지금은 괜찮다고 말할 걸 왜 넙죽 받아먹었는지 모르겠어.

그 약 때문에 변비가 된 거야. 내가 배탈 났다고 말해서 지사제를 주셨나 봐. 변비가 돼서 종일 배가 무겁고 똥이 나올 것 같으면서 안 나오고 너무 괴로운 거야. 쉬는 시간마다 변기를 붙잡고 괴로워하다 결국 오후에 다시 양호실로 갔어. 정말 못 참겠더라고. 양호실 마법사님이 나보고 또 배가 아프냐고 물어서, 이번에는 배탈이 아니라 변비가 생겼다니까 막 웃으시는 거야. 웃을 일이 아닌데 왜 웃었는지 모르겠어. 혹시 내가 꾀병을 부린 줄 이미 알고 있었던 걸까?

마법사님이 준 물약을 먹으니까 바로 신호가 와서 화장실로 달려갔고 시원하게 해결했어. 그대로 수업에 들어갔지. 마법사님이 다 나오면 양호실에 와서 말하고 가라고 했는데 잊어버리고 그냥 수업에 갔거든, 별일 없을 줄 알았어. 그런데 반장이 오더니 나보고 '잘 쌌냐'고 묻는 거야. 양호실 마법사님이 '서연이 변비가 다 나았는지 확인하고 오라'고 했다면서, 꼭 '잘 쌌는지' 확인하라고 했대. 대답하기 정말 쪽팔린데 잘 쌌다고 대답했어. 하필 대답할 때 배에서 꾸루룩 소리가 났어. 반장이 소리를 듣고 '진짜 다 싼 거냐'고 '아직 다 못 싼 거 아니냐'고 물어봐서 정말 굴욕이었어. 배가 고파서 그런 거라고 말하고 급히 자리를 피했어.

이런 지저분한 이야기까지 하다니 정말 내 인생 왜 이 모양인지 모르겠어. 제발 다른 사람한테는 말하지 마. 알았지?

절대로 말하면 안 돼.

게다가 반장이 학교 첫날 내가 선생님인 줄 알고 인사했던 그 나이 들어 보이는 아이야. 이름은 다리우스야. 이상한 이름이지? 여기서도 이상한 이름이래. 옛날식 이름이라나. 얼굴도 나이 들어 보이고 말투도 노인처럼 좀 느리고 그래. 그래서 별명이 할아버지래. 공부도 잘하고 잘 생기고 키도 크고 반장이고 해서 인기가 좋아. 그런 애 앞에서 망신을 당했지 뭐야.

내가 거짓말 한 벌을 받았다고 생각하고 있어. 앞으로는 아무리 혼나도 거짓말은 하지 말아야겠어.

반장은 악마족이야. 악마족은 마족하고 다른데, 마족은 그냥 마족이고 악마족은 악마 직계 혈통 집안 아이들이래. 얘네들은 옷도 망토를 꼭 입고 다녀. 우리 반 팔십 명 중에 열 명 정도 망토를 하고 다니는 아이들이 있어. 다들 악마 피를 타고 나서 그런지 마법을 정말 잘해. 다리우스도 2학년 때 전교 1등이었대.

저번 편지에 마계에 어떤 종족이 있는지 설명 안 했던 것 같은데, 일단 마족이 있어. 가장 많고 인간과 모습이 비슷해. 그리고 악마족이 있고, 우리 반에는 뱀파이어도 한 명 있어. 피를 마시긴 하지만 동물 피만 마신다고 자기소개할 때 말했으니까 그 말을 믿어야지. 다크 엘프도 있는데 우리 반엔 없고 다른 반에 두 명이 있어. 키도 크고 다리도 길고 날씬하고 얼굴도 잘생겼고 멋있어. 피부가 회색이고 눈이 흰자위 없이 검은자만 있어서 무섭긴 한데 그래도 멋있어. 검은 머리를 길게 기르고 다녀. 다크엘프 말고 그냥 엘프는 없어. 엘프는 엘프들만 다니는 학교가 있어서 거기 다닌대.

드워프도 있어. 우리 반에 다섯 명이고 체구가 좀 작긴 한데 마족과 큰 차이는 모르겠어. 그리고 요정도 네 명 있어. 네 명 중 한 명은 블레싱이라는 친구인데 기숙사에서 같은 거실을 써서 요즘 자주 대화하고 있어. 요정은 날개가 있는데 평소에는 쓰지 않고 날개를 접어서 다녀. 마법은 잘하는데 집중력이 약하고 산만한 것 같아. 집중력은 나도 없는 편인데 블레싱은 좀 심해.

드래곤도 있어. 학교에 딱 한 명, 우리 담임 마법사님이고 이름은 필리스야. 정확히는 레드 드래곤과 인간의 혼혈이래. 그래서 눈동자도 머리카락도 붉은색이야. 가까이서 보면 무서워. 수업 시간에 말 안 들으면 드래곤으로 변신해서 브레스를 내뿜어 혼내주겠다고 아이들을 겁주기도 해.

인간은 나 하나뿐이야.

이제 편지는 그만 쓰고 마법 외워야겠어. 마법 주문 백오

십 개를 고대문자로 다 외워야 해. 구구단을 라틴어로 외우는 느낌인데 정말 머리가 터질 것 같아. 하지만 이걸 못하면 대학이고 뭐고 없어. 정말 기초적인 마법이거든. 나는 잘하는 게 마법밖에 없으니까 그래도 잘해야지.

또 편지할게.

마법사가 될 줄 알았는데 변비에 걸려서 아직도 속에서 꾸루룩 소리가 나는 김서연이 보냄.

세 번째 편지

수빈에게.

오늘은 필리스 마법사님과 진로상담을 했어. 내가 마계 대학교에 진학하려고 온 건 마법사님도 알고 있지만, 구체적으로 어떻게 할지 자세히 상담했어. 마계 대학에 가려면 대마왕의 추천서를 받아야 안전하게 합격하는데, 추천서를 받으려면 반에서 5등 정도는 해야 한대. 나는 2학년까지는 인간계에서 다녔고 거기 성적은 마계 대학 입시에 반영이 많이 되지 않는데. 잘됐지 뭐, 어차피 공부 못했으니까. 여기 학교 성적, 대학교 마법고사 성적, 그리고 포트폴리오가 필요해.

그래야 마계 대학에 갈 수 있고 대마법사도 될 수 있어.

그런데 5등 안에 들 수 있을지 모르겠어. 올 때야 대마법사가 된다는 기대에 부풀어서 왔는데 열흘 지나니까 대학교는커녕 졸업이나 할 수 있을지 모르겠어. 백 명이나 되는 학생들 사이에서 5등을 하라니. 내가 할 수 있을까?

필리스 마법사님이 꼭 마법사 말고 다른 직업도 많다고 했어. 정령사를 해도 되고 드워프 기업에 취직해도 되고. 하지만 마계에서 살 거라면 마법사가 돼서 마법 주문을 연구하고 마법 물건을 만들고 싶어. 인간도 별로 없는 마계에서 살아야 하는데, 안정된 직업을 갖고 싶거든.

대마법사가 못 되면 뭘 하고 살까? 걱정돼서 계속 도서관에서 책 읽고 있어. 수업도 정말 어려워. 마계 고등학교 과목은 여섯 개야. 고대언어, 마법 주문, 마계 역사와 지리, 마법 도구, 마법 의례, 시민 윤리, 이렇게 여섯 개야. 고대언어가 제일 어려운데 대마법사가 되려면 고대언어 성적이 제일 중요해. 오래된 문서를 연구하는 일이 많아서. 마법 도구나 의례는 덜 어렵고 나머지 과목은 그럭저럭 잘 따라가고 있어. 역사는 의외로 재미있어. 어제는 2천 년 전 마계에 있었던 마족과 괴물 간의 전쟁을 배웠어. 아이들은 지루해하는데 나는 재밌었어. 꼭 판타지 영화의 줄거리를 듣는 기분이었다고 할까. 돈 많이 들여서 영화로 만들면 인간들은 좋아하겠구나, 생각했어.

오늘도 쪽팔린 일이 있었는데… 사실 이건 저번의 이불킥에 비하면 솔직히 망신도 아니야. 도서관에서 책 읽다가 저녁에 기숙사로 돌아가는데, 도서관 로비에서 다크 엘프 둘이 마법 연습을 하고 있는 거야. 빛을 다루는 마법인데 학생들은 멋있어지는 마법이라고 불러. 불이 화려하게 타오르면서 허공을 맴돌다가 사라지는데 그게 보기에 멋있거든. 주문은 간단하지만. 다크 엘프 둘 옆에는 다리우스도 같이 있었어. 걘 왜 오만 곳에 다 있는지… 혹시 축지법 쓰나? 여긴 정말 축지법도 있으니까.

잘생긴 남자애들 셋이 있길래 긴장되더라고. 요즘 학교에서 그 세 명 인기가 장난 아니거든. 나는 관심은 없는데 아무튼 인기 있는 아이 셋이 멋있어 보이는 마법을 하고 있으니까 그 옆을 지나가려니 괜히 긴장되는 거야. 신경 안 쓰는 척하면서 로비를 가로질러서 도서관을 나오려는 참이었어. 뒤에서 뭔가 떨어지는 소리가 들렸는데 돌아보지 않고 걸었거든. 갑자기 뒤에서 누가 다가오는 소리가 들리더니 나를 불렀어. 쟤네들이 왜 나를 부르지 뭐 할 말이 있나, 하고 돌아보는데, 다리우스가 내 가방을 툭 치더니 이렇게 말하더라고.

"야, 가방 열렸어."

해맑게 말하고는 가더라. 가방이 열려서 안에 있는 물건이 다 떨어지고 있었어. 하필 빨래하려고 가방에 양말이랑 티셔츠도 넣어뒀는데, 그게 바닥에 다 떨어져 있는 거야. 그래서 쭈그리고 앉아서 가방에 빨래를 집어넣고 얼른 나왔지. 얼굴이 붉어졌겠지만, 도서관 로비가 어두워서 안 보였을 수도? 양말이랑 티셔츠였으니 다행이지 더 심한 빨래라도 들어 있었으면 어쩔 뻔했는지…….

또 편지할게.

요 며칠 가방이 열렸는지 닫혔는지 신경 쓰여서 노이로제 생긴 김서연이 보냄.

네 번째 편지

수빈에게.

벌써 학교에 다닌 지 한 달이 지났어. 곧 중간고사 준비해야 해. 시험은 잘 볼까? 망치면 정말 가망 없는데. 그리고 쪽팔린 실수를 또 했어! 나 진짜 왜 이러지? 이번 건 정말 큰 실수였어. 지금까지도 다 큰 실수였지만 이번 거는 정말 부끄러워. 최고의 이불킥이야.

수업 시간에 꾸벅꾸벅 졸다가 방귀를 뀐 거야. 내가 진짜 왜 이러지? 정말 미쳤나 봐. 마법 주문 수업 시간이었는데, 요즘은 긴 주문을 배우고 있거든. 마법사님 성함은 그나우티스인데 악마족이야. 악마라서 무섭게 생겼어. 이마에 뿔도 있거든. 그런데 다들 무서워하지도 않고 수업 시간에 맨날 졸아. 머리에 뿔이 달렸는데 어떻게 안 무섭지? 아무튼 그나우티스 마법사님이 교과서에 있는 어려운 마법 예제를 노트에 열 번씩 베껴서 쓰라고 하고 잠시 나가셨어. 나는 금방 다 쓰고 너무 졸려서 잠시 엎드려서 잤거든. 그러다가 방귀를 뀐 거야.

이런 기분 알아? 정말 졸린데 퍼뜩 내가 뭔가 실수했다는 느낌이 들면서 순식간에 잠이 달아나는 거 말이야. 방귀를 뀐 것 같고, 소리도 난 것 같고, 이어서 아이들이 웃는 소리를 들은 것 같으면서, 점점 잠이 깨고 현실을 직시하는 순간 이마에서 식은땀이 나는 거지. 하지만 그대로 벌떡 일어났다간 정말 웃음거리가 되잖아. 자는 척하면서 가만히 있었어. 머릿속은 온갖 생각으로 가득했지. 내가 정말 뀌었나? 꿈은 아닐까? 방귀 소리를 반 아이들이 다 들었을까? 백 명이 한꺼번에 웃었으면 소리가 컸을 텐데 큰 소리는 못

들었는데… 아니야, 그냥 큭큭 웃고 말았을 수도 있으니 작았을지도 몰라. 어쩌면 좋지? 제발 꿈이기를 바라지만 꿈은 아닌 것 같았고… 그렇게 갈등하고 있는데 그나우티스 마법사님이 돌아왔어. 그때 얼른 잠에서 깬 척 일어났지. 그다음은 아무 일 없었던 것처럼 수업을 들었는데 제대로 집중은 못 했어.

수업 끝나고 뒤에 있던 아이한테 미안하다고 사과했어. 걔가 기숙사 옆방 아이 블레싱이라서 자주 보고 요즘 인사도 하고 그러거든. 요정족이고 무척 쾌활한 아이야. 머리는 파란색 빛이 도는 회색이고 귀는 엘프처럼 길어. 눈도 반짝반짝 예쁘고. 보고 있으면 기분이 좋아. 블레싱한테 방귀 뀌어서 미안하다고 했더니 괜찮다면서 반 아이들 대부분 몰랐을 거라고, 주변에 있는 아이들만 들었다는데 모르지 뭐. 내가 불쌍해서 그렇게 말해줬는지도…….

블레싱은 요정이라서 날개가 있거든. 그런데 그게 콤플렉스인가 봐. 평소에는 둘둘 말아서 천으로 묶어놓다가 정말 급하면 펼쳐서 날아가. 요정은 종족 구성이 복잡해서 어떤 아이는 날개가 나비처럼 보이고 또 다른 아이는 날개가 나방처럼 보이기도 하는데, 나는 그냥 봐서는 잘 모르겠어. 블레싱은 나방처럼 생긴 날개가 있고 그것 때문에 사람들이 가끔

수군대서 싫대. 수줍음이 많은 아이가 아닌데도 신경 쓸 정도면 마계에서는 중요한 일이긴 한가 봐.

블레싱과 점심시간에 화산 멧돼지 고기볶음을 같이 먹으면서 이런저런 이야기를 했어. 중간고사 준비가 너무 어려워서 둘이 서로 하소연하다가, 블레싱이 나한테 왜 마계 고등학교에 왔냐고 묻더라고. 대마법사가 돼서 모험을 떠나고 싶다니까 마계에서 학교를 다니지도 않았는데 마법을 정말 잘한다니 대단하다고 막 칭찬해주더라. 기분 좋았어.

인간계에서도 마법을 배운다는 말을 해주니까 재밌어했어. 물론 열심히 배우는 아이들은 거의 없지만. 일단 마법력이 안되니까 마법을 쓸 수도 없고. 나처럼 마법력이 있는 아이는 드물고. 내가 1학년 때 마법력이 S급이 나왔던 때 이야기도 해줬어. 수빈이 너도 잘은 모르지? 이런 이야기가 너한테도 재밌으려나 모르겠네.

내가 공부를 잘하는 아이는 아니잖아. 그렇다고 다른 특기도 없고. 특출나게 잘하는 과목도 없고. 대학은 갈 수 있을까, 전공은 뭘 할지, 취직은 어떻게 할지, 꿈도 희망도 없는 상황이었어. 그런데 1학년 때 마법 모의고사가 있었어. 너도 시험 봤겠지만 다들 열심히 안 하잖아. 다른 공부도 바쁜데 마법을 누가 공부해. 나는 마법이 재밌기도 하고 중학교 때

주민센터에서 마법력 테스트를 했을 때 소질이 높게 나와서, 고등학생이 되면 다시 받으라는 말은 들었어. 마계에서 마법 쓸 수 있을 만큼 마법력이 높게 나올지도 모른다고 듣긴 했거든.

다른 공부하긴 싫고 마법을 쉬엄쉬엄 공부했는데 내가 모의고사에서 전교 1등을 할 줄은 몰랐지.

주민센터에 가서 마법력 테스트를 하고 S급이 나와서 마법사가 될 수 있고, 마계 대학에도 지원 가능하다고 했을 땐 정말 놀랐지. 아빠 엄마도 정말 놀랐고. 솔직히 나는 기분이 정말 좋았어. 의기양양했던 것 같아. 아빠도 엄마도 선생님도 나를 다르게 보는 것 같고 아이들이 나를 보는 시선도 달라진 것 같았고 말이야. 별 희망이 없는 상황이었다가 갑자기 인간 최초로 마법사가 될 수도 있다고 생각하니까 어깨에 힘이 들어갔었지. 그때부터 목표가 생겨서 공부를 열심히 했어.

다른 사람에겐 마법사가 되겠다는 목표가 이상하긴 하지. 마계가 무섭다는 아이도 많고 실제로 위험하기도 하고. 하지만 나는 괜찮아. 처음 마계와 인간계가 연결되면서 마물이 서울을 헤집어놓고 다녀서 아직도 사람들이 무서워하지만, 이제는 그 정도는 아니잖아. 왜 너는 인간인데 마법력이 강하냐고 뭐라고 하는 아이도 있었어. 너도 나랑 같이 다니면서 몇 번 봐서 잘 알겠지만. 그것도 괜찮아. 나는 다른 사람한테 없는 소질이 있으니까.

마법사가 된다는 믿음을 가지고 공부를 열심히 해서 여기까지 왔지. 마계 대학 못 가면 어쩌나 걱정이 많지만 일단 반에서 5등 안에 들려고 노력하고 있어. 내가 이렇게 공부를 열심히 하는 학생이 될 줄은 몰랐어. 희망이 있으니까 열심히 하게 되는 것 같아.

이불킥할 일만 좀 없으면 좋을 텐데.

또 편지할게.

방귀에 트라우마가 생겨서 잘 때도 방귀를 뀔까 봐 히프에 힘을 꽉 주고 자는 김서연이 보냄.

다섯 번째 편지

수빈에게.

오랜만에 만나서 정말 즐거웠어. 집에 가서 엄마 아빠 얼굴도 보고 인간계 음식도 먹고 친구도 만나니까 기운이 나. 오랜만에 즐겁게 수다도 떨고 같이 치킨도 사 먹고 해서 좋았어. 중간고사를 앞두고 있어서 갈까 말까 하다가 갔는데 가기 잘한 것 같아.

돌아오는 길에 조금 소동은 있었어. 이불킥이라기보다는 소동이었는데, 마계로 가는 포털 앞에 사람들이 줄을 길게 서 있더라. 보통은 사람이 많지 않거든. 무슨 일인가 했더니 우리 학교 근처 화산 있잖아? 그게 폭발했대. 지진이 일어나고 화산재가 날리고 그래서 포털도 불안정해졌고 통과하는 시간이 오래 걸려서 줄을 길게 섰어. 한참 기다려서 포탈 통과하고 마계에 도착했어. 학교까지 가려면 마차를 타거든. 혹시 너도 텔레비전에서 본 적 있으려나? 지옥 유니콘이 모는 마차인데, 지옥 유니콘은 털이 검은색이고 눈이 시뻘건 색이야. 지옥 유니콘 마차가 다니는 노선이 정해져 있어서, 표를 내고 버스처럼 타면 돼. 그런데 마차를 잘못 탔어.

내가 잘못 탄 건 아니고 안내를 잘못 받았어. 학생 마차를 기다리는데 드워프 마부가 다가와서는 표를 받고 짐도 들어주고 친절하게 마차에 태워주는 거야. 짐은 왜 들어주나 했는데, 그냥 친절한 드워프인줄 알았지. 그때까진 이상한 줄 몰랐다가 타고 나서 승객들을 보고 알았어. 결론부터 말하면 마부가 내가 뱀파이어인 줄 알았어. 내가 얼굴에 홍조가 있잖아. 포털에서 기다리느라 덥고 힘들어서 얼굴이 유난히 빨개졌는데, 뱀파이어들이 피를 마시고 나면 혈색이 돌면서 얼굴이 새빨개지거든. 그래서 내가 뱀파이어인 줄 안 거야. 정말 너무하지 않니? 마차가 그냥 마차도 아니고 부자 뱀파이어들이 단체로 대절한 고급 마차였어. 친절했던 것도 비싼 마차여서 그랬고.

어쩌면 좋지? 지금이라도 말하고 내려야 하나 고민했지. 하지만 이미 마차는 출발했고 중간에 어떻게 내려? 고급 마차는 추가로 돈을 내야 하는데 돈을 더 받으면 어떡해. 그래서 고개 숙이고 조용히 가는데, 같이 탄 뱀파이어들이 피가 담긴 비닐 주머니를 꺼내서 마시기 시작하는 거야. 이전에는 피 마시는 광경을 본 적 없어. 우리 반 뱀파이어는 먹는 모습을 보여주진 않아. 별일도 아닌데 그때는 정말 겁을 먹었어. 내 피를 마실 것도 아니고 어차피 화산 멧돼지 피니까 걱정할 필요는 없는데, 괜히 무서웠어. 뱀파이어들이 어디 화산 멧돼지 피가 맛있다, 거기는 유황을 먹여 키워서 향이 좋더라 이런 말을 하면서 마시더라고. 옆에 앉은 나이 많은 뱀파이어 아저씨가 계속 나한테도 피 안 드시겠냐고 권하는 거야. 내가 몸이 안 좋아서 안 마시겠다고 하니까 갑자기 마차에 있는 뱀파이어가 전부 웃는 거야. 왜 웃지 싶었는데, 뱀파이어는 몸이 안 좋을 수가 없거든. 몸이 안 좋다면서 거절하는 건 아주 나이 많은 고상한 뱀파이어나 하는 말이래. 나는 고상한 사람이 아닌데 오해를 받으니 억울했지만, 애초에 뱀파이어조차 아니니까.

한참 가는데 이번에는 누가 마족 음식 가지고 탔냐고 서로 묻기 시작하는 거야. 가족들이 먹고 남은 치킨을 나중에 먹으려고 가지고 탔는데 냄새가 났나 봐. 정말 그때 내릴까 싶었는데 누가 '착각이겠지' 하고 그냥 넘어가서 안 내렸어. 정말 어찌나 시간이 안 가는지 미치는 줄 알았어. 학교 앞 정거장에 도착해서 마차에서 내렸는데 하필 정거장에 다리우스가 있었어. 얘는 왜 맨날 마주치지? 다리우스가 나를 보더니 무슨 일이냐고, 왜 부자 뱀파이어가 타는 고급 마차에서 내렸냐고 해서, 내가 마차를 잘못 탔다고 다른 사람한테는 말하지 말아 달라고 그랬어. 다리우스가 웃으면서 알았다고 그러더라. 다리우스가 약속을 지킬까? 점잖은 아이니까 지킬 것도 같은데.

또 편지할게.

얼떨결에 뱀파이어를 사칭해서 아직도 떨리는 김서연이 보냄.

여섯 번째 편지

수빈에게.

며칠 우울했어. 중간고사 성적이 나왔는데 좋지 않았거든. 반에서 14등을 했어. 너무 우울하고 슬퍼서 계속 누워 있다가 기운 차려서 편지를 보내. 블레싱은 나보고 잘했다고 하는데, 이 정도로는 대마왕 추천서고 뭐고 어림없잖아? 기말에서 만회 가능할지 솔직히 자신이 없어. 마법사가 못 되면 어쩌나 걱정하느라 잠도 못 자고 밥맛도 없어. 방법이 아예 없는 건 아니야. 기말을 잘 보고 포트폴리오 준비를 잘하면 가능은 해. 하지만 시험이 기대에 못 미치니까 갑자기 희망이 없어지고 공부를 못했던 과거로 다시 돌아간 것 같고 그래서 슬퍼.

오늘 외출하고 바람도 쐬고 해서 기분은 다시 좋아졌어. 중간고사 끝나고 축제였거든. '데미타메르 기념일'이라고 마계를 지배하던 나쁜 대마왕을 데미타메르라는 용맹한 기사가 물리친 걸 축하하는 날이야. 광복절 비슷한 날인가 봐. 하지만 광복절처럼 엄숙하진 않고 즐겁게 즐기는 축제야. 고3인 우리 학년은 해당이 없지만 1, 2학년은 따로 문화제처럼 행사도 해. 학교 밖도 축제고. 블레싱이 나보고 너무 기죽어 있지 말고 같이 축제 구경 하자고 해서 놀다가 들어왔어. 그래서 기분이 많이 좋아졌어.

그리고 축제에서 또 이불킥이 있었어. 왜 없었겠니?

블레싱하고 학교 앞에서 만나자고 약속했는데 축제 때문에 사람이 엄청 많았거든. 교문에서 기다리다가 요정족 아이 뒷모습이 보이길래 다가가서 팔짱을 끼면서 막 떠들었어. 사람이 정말 많다, 어디로 갈까, 잘 모르는데 안내해 줄 수 있냐, 너는 다른 친구랑 놀아야 하는데 나 때문에 못 노는거 아니냐, 이런 말을 하고 있는데 요정이 묻는 거야.

"저… 근데… 누구세요?"

얼굴도 제대로 안 보고 낯선 요정한테 팔짱을 끼고서 막 혼자 떠들었던 거야. 요정은 요정대로 얼마나 놀랐겠니? 정말 얼마나 쪽팔렸는지. 죄송하다고 말하고 얼른 도망쳐서 교문으로 돌아왔더니 블레싱은 거기 있었어. 그래서 아무 일 없는 척하고 블레싱이랑 다녔는데, 아니나 다를까 그 요정과 또 마주쳤어. 더 쪽팔린 건 뭔지 아니? 그 요정이 블레싱 친한 친구 언니였던 거야. 블레싱이 언니보고 오랜만에 만나서 반갑다면서, 자기 반 친구라고 나를 소개해줬는데, 요정 언니는 빵 터져서 웃고, 블레싱은 영문을 몰라서 어리둥절하고, 나는 억지로 미소짓지만 속으로 눈물 흘리고… 진짜 쪽팔렸어.

그것 말고도 이불킥이 또 있을 뻔했는데 무사히 피했어. 무슨 일이었냐면, 축제하는 동안에는 하늘에 커다란 대마왕 인형을 띄워. 정말 커, 집채만 해. 나중에 그걸 마법을 쏴서 터트리거든. 수십 명이 지팡이를 꺼내 마법 날려서 인형 터트리는 모습이 멋있어서 밑에서 지켜보고 있는데, 인형이 터질 때가 되니까 다들 피하더라고. 나랑 블레싱도 따라서 얼른 피했는데, 대마왕 인형이 터지면서 시커먼 액체를 쏟아냈어. 밑에 있던 사람은 그걸 다 뒤집어썼지. 나는 정말 간발의 차이로 피했어.

축제에서 우연하게도 다리우스하고 다리우스 친구인 다크엘프 피트로를 만났어. 다리우스는 대마왕 인형이 폭발하는 모습이 웃기지 않냐고 신이 나서 웃더라. 자기도 악마족이면서 왜 웃는 거지? 자기 조상 아닌가? 그 대마왕은 나쁜 놈이니까 그렇다는데 뭐 나야 자세한 역사는 모르지. 지금 대마왕은 착하대.

다리우스가 나한테 스터디 가입하지 않겠냐고 물었어. 마법사 준비한다는 말 들었다고, 같이 입시 준비하는 아이들이 있는데 스터디에 낄 생각 없냐는 거야. 나는 성적 안 좋은데 괜찮냐고 물었더니 마법사를 목표로 열심히만 하면 되니까 들어와달라고 해서 생각해 보겠다고 했어. 블레싱 말로는 당장 가입하라고 하더라. 도움 될 거라고. 마계 대학 준비하는 아이들은 과외도 받고 하니까 그런 아이들이 어떻게 공부하는지 알 수 있을 거라고. 그런 면에서 나는 많이 뒤처진 셈인데 걱정이야. 어쨌든 손해 볼 건 없지. 당분간 수업에 숙제에 스터디에 정말 바쁠 것 같아.

그래도 편지는 꼭 할게.

길에서 아는 사람을 만났을 땐 꼭 얼굴을 확인하고 말을 걸자고 다짐 중인 김서연이 보냄.

일곱 번째 편지

수빈에게.

날이 더워지는데 잘 지내니? 마계는 서울만큼 덥지 않고, 학교는 마왕성이었을 때 대마왕이 더위를 싫어해서 냉각 마법을 강하게 걸어놔서 시원해. 덕분에 쾌적하고 시원하게 잘 지내고 있어.

블레싱을 통해서 친구를 많이 사귀었어. 마족이랑 요정뿐 아니라 드워프 친구도 있어. 이름은 마젠타야. 내가 마법사

되고 싶다고 하니까 정말 쉽지 않다고, 마법사 수험 준비하는 학생은 다 궁정 마법사나 신관 출신 마법사에게 과외받는다고 하더라고. 스터디하기 잘한 것 같아. 아니, 오히려 늦었지만. 나도 여름방학 동안 궁정 마법사한테 과외라도 받아야 할까?

스터디는 얼마 전에 시작했어. 총 열네 명인데 다리우스도 있고, 다크 엘프 피트로도 있어. 걔는 뚱한 표정으로 나를 보더라고. 내가 마음에 안 드는지, 경쟁자가 하나 늘어서 마음에 안 든 건지 뭔진 모르겠어. 아니면 다크엘프는 눈에 흰자위가 없어서 그냥 화가 난 것처럼 보였는지도.

스터디에 쓰는 교재가 있는데, 비싸서 사지 못하고 도서관에서 빌렸거든. 옛날 판본이라서 최근 판본과 내용이 약간 달라서 애를 먹었어. 어떤 부분은 아예 챕터를 바꿔놔서, 최신판과 페이지가 달라서 페이지 찾느라 힘들었어. 뭐 이런 판본이 다 있나 몰라. 그것 때문에 스터디에서 이불킥 비슷한 일은 있었어. 스터디하는 챕터를 못 찾아서 헤매는데 다리우스가 나보고 찾았냐고 묻더라고. 그냥 찾았다고 거짓말했더니 다리우스가 그러는 거야.

"그럼 서연이가 거기 읽어줄래?"

내가 욕은 안 하고 살려고 했는데 그 순간 진짜 욕 나올 뻔했어. 그냥 보이는 페이지를 읽었더니 거기 아니라고 다리우스가 찾아줬어. 망신도 이런 망신이. 나중에 보니까 책 옆에 다른 판본에서는 몇 페이지인지 표시가 있더라. 먼저 사용한 사람들이 표시해 놨나 봐.

다들 예습도 해오고, 과외로 배운 아이도 있고 해서 스터디에 뒤쳐진 나는 완전 바보가 된 기분이었어.

요정 친구 블레싱 때문에 좀 골치가 아파. 내가 스터디 한다니까 블레싱이 피트로를 소개해달라는 거야. 그것도 스터디 첫날에. 그러면 안 되잖아. 나중에 하겠다고 해도 블레싱이 너무 행복에 가득 차 있어서 내 말을 듣질 않더라고. 나중에는 스터디실에서 나를 기다리고 있다가 얼른 피트로한테 가서 말을 걸었어. 어쩔 수 없이 나도 피트로한테 블레싱을 소개해 줬지. 블레싱이 그러지 좀 않았으면 좋겠는데. 피트로는 블레싱을 좋아하는 것도 같고 시큰둥한 것도 같고 모르겠어.

학교에서 마법 주문 발명품 경진대회가 열린다는 말 했던가? 학생이 직접 제작한 마법 발명품을 출품하면 좋은 발명품을 뽑아서 상주는 대회인데, 나는 뭘 내야 할지 잘 모르겠어. 솔직히 공부할 시간도 없거든. 그런데 상을 타면 포트폴리오에 쓸 수 있대. 그래서 도전할까 고민 중이야.

또 편지할게.

요정과 다크 엘프 연결해 주느라 신경 쓰이고 짜증 난 김서연이 보냄.

여덟 번째 편지

수빈에게.

저번에 블레싱에게 피트로 소개해준 이야기 했지? 골치 아프게 됐어. 피트로하고 블레싱하고 블레싱 친구 중에 다이아나라는 아이가 있는데, 셋이 삼각관계야. 피트로가 블레싱을 소개해줬을 때 시큰둥한 표정이었는데 나중에 보니까 또 아는 척하고 친하게 지내서 사귀나 싶었거든. 그런데 계속 보니까 그건 아닌 것 같고, 그냥 친한 척만 하나, 했는데 사실 피트로는 블레싱 친구 다이아나한테 관심이 있었던 거야. 블레싱하고 친한 척 한 다음에 다이아나를 소개받았대. 웃긴 게 또 다이아나는 피트로한테 관심이 없어. 블레싱은 여전히 피트로를 좋아하고. 이 복잡한 관계에 끼인 것 같아. 나는 블레싱하고 피트로를 계속 봐야 하니까. 이런 일은 없었으면 했는데, 뭐 마계라고 고등학생이 연애에 관심 없는 건 아니니까. 다크엘프나 요정은 마족보다 훨씬 수명이 긴데 연애관이 좀 다를까 궁금하기도 해.

기말시험 준비 때문에 정말 힘들어. 못 보면 어쩌나 걱정도 되고. 이번 주말에 인간계에 갈 건데 너 시간 될까? 같이 치킨 먹으면 좋을 것 같아. 왜 자꾸 치킨 생각이 나는지는 모르겠는데 정말 먹고 싶어. 그다음 주는 시험 때문에 바빠서 못 갈 것 같으니 이번 주에 얼굴 보고 싶어.

오늘 스터디에서는 면접 준비도 했어. 마법사가 되려면 면접에서 구술시험도 보거든. 그 준비도 했는데, 이건 다리우스 빼고는 다들 처음이라서 다 제대로 대답 못 하고 횡설수설해서 웃겼어. 구술시험 교재에서 질문 뽑아서 물어보고, 대답이 어땠나 돌아가면서 의견을 말하는 방식으로 했어. 다리우스가 조언 많이 해줬어. 누나가 두 명 있는데 누나들이 입시 준비 할 때 옆에서 같이 배웠대.

기본적으로 나오는 질문이 몇 개 있는데, 그중 하나가 "왜 마법사가 되려고 하는가?" 였어. 나는 인간 최초로 마법사가 되고 싶어서 그렇다고 했는데 다리우스가 좋은 대답이라고 해줬어. 이런 질문도 했어. "왜 흑마법을 쓰면 안 되는가?"였는데, 내가 "나쁘니까 쓰면 안 되죠."라고 대답했더니 아이들이 다 빵 터져서 웃었어. 나도 몰라서 아무 말이나

한 거라서 부끄러웠고.

다리우스가 모범답안을 알려줬는데, 일단 꼭 말해야 하는 대답은 '흑마법이 수명을 단축하고 마계의 마법 균형을 깨트리기 때문에'래. 그리고 그 뒤에 다른 이유를 덧붙이라고 했어. 이런 건 윤리 시간에도 배워. 신기하지? 옛날에 대마왕 밑에 있던 엄청 마법을 잘하는 흑 마법사가 악독한 마법을 많이 만들어내서, 그 흑마법 때문에 오랫동안 대마왕을 물리치지 못했어. 그래서 마법사의 윤리를 중요하게 생각해. 이것도 대답에 추가하면 점수를 받는다고 다리우스가 말해줬어.

구술시험 때 정말 사소한 질문도 해. 길 가다가 금화 주우면 어떡할 거냐, 비가 많이 오는 날 급한 약속이 있어서 길 가다 엄마랑 어린아이가 우산이 없어서 비를 맞고 있는 모습을 본다면 우산을 양보할 거냐, 이런 것도 물어봐. 좋아하는 음식이 뭐냐 이런 것도 묻는대. 왜 물어보지? 점수는 어떻게 체크 할 건데? 탕수육에 소스 부을 건지 찍어 먹을 건지 같은 거로 점수 주는 것도 아니고 뭔지 모르겠어. 나는 마계에서 살지 않았으니까 기본 상식이 너무 없어서 사소한 질문을 아예 이해 못 하면 어쩌나 싶어.

윤리 이야기가 나와서 말인데, 윤리 마법사님은 무척 점잖은 분이거든. 문제는 이름이야. 마법사님 이름이 '페로롱 페로롱'인데 정말 웃기지 않니? 여기서는 그게 되게 엄숙한 뜻의 이름이라는데, 나는 이름 들을 때마다 웃음 참느라 너무너무 힘들거든. 한번은 수업 시간에 자꾸 웃음이 터져 나와서 참느라 부들부들 떨고 있는데, 마법사님이 괜찮냐고 어디 아프냐고 묻는 거야. 괜찮습니다, 라고 대답하면서 억지로 웃음을 참는데 나중엔 눈물까지 나더라. 자꾸 웃으면 안 되는데 큰일이야.

윤리 시간만 되면 혼자 웃음 참느라 얼굴과 목 근육이 아픈 김서연이 보냄.

아홉 번째 편지

수빈에게.

엄청 놀라운 소식이 있어. 마법 발명품 대회에서 일등을 했어. 대회가 열린다는 말을 했던가? 오랜만에 보내는 편지라서 기억도 안 나. 마법을 이용해서 만든 발명품을 내는 대회인데, 출품 조건이, 발명품은 반드시 기본 마법 넷이 상호작용하는 마법 주문을 사용해야 한다는 거거든. 주문을 설

계하려니 골치 아프고, 공부 때문에 시간도 안 나고, 그래서 만들어서 쓰던 물건을 냈어. 뭐였냐면, 편지를 보내면 무슨 내용을 썼는지 생각이 안 나잖아. 카톡은 보낸 카톡을 볼 수 있지만 편지는 아니니까. 그래서 편지를 복사해 저장하는 상자를 만들어서 그동안 보낸 편지를 보관하고 있었어. 원래는 편지를 종이에 복사했는데 종이가 계속 쌓이니까 상자가 금방 꽉 차겠더라고. 그래서 이미지만 추출해서 상자 안에 이미지를 담아두는 방식으로 고쳤어. 그러니까 스캐너 같은 거지.

여긴 스캐너가 없잖아. 그래서 내 발명품이 신기했나 봐. 일등상을 받았어! 일등은 표창장도 주고 포트폴리오에도 수상 경력이 추가 돼. 일등이라니 진짜 놀랐어. 스터디 친구들도 마법 네 개가 상호작용하는 주문을 어떻게 만들었냐고 칭찬해주더라. 별로 어렵지 않은데, 아이들은 어려워 해. 내가 인간이라 마족과 사고방식이 달라서 그런가? 내 발명품이 학교에서 상 받은 발명품끼리 모이는 더 큰 경진대회에도 나간대. 거기서 상 받으면 기업에서 돈을 많이 주고 발명품 특허를 사갈 때도 있대. 뭔가 믿어지지 않아.

피트로랑 블레싱이랑 다이아나의 삼각관계가 허무하게 끝났어. 이유가 뭐냐면, 피트로가 갑자기 머리를 삭발해서 대머리가 돼서 나타났어. 다크엘프 사이에서는 유행하는 헤어스타일이래. 도대체 왜? 무서운 눈이랑 뾰족한 귀도 도드라지고 머리 피부가 얼굴보다 더 짙은 회색이라서 진짜 볼품없어. 대놓고 말은 못 했는데 나 말고 다른 아이들도 다 같은 생각이야. 여기서도 엘프는 머리가 길어야 잘 어울린다고 보나 봐. 그래서 다크엘프 인기가 떨어져서 블레싱도 피트로한테 흥미를 잃었어. 다이아나는 원래 흥미가 없었고. 그래서 복잡한 밀당이 허무하게 끝났어.

오늘도 이불킥이 있었어. 한동안 잠잠했는데 또 생겼지 뭐야. 도서관에서 기숙사로 돌아오는데 너무 졸린 거야. 꾸벅꾸벅 졸다가, 걸어가던 복도가 직선이었거든. 좀 자면서 걸어도 되지 않을까 싶어서 눈 감고 졸면서 걸어가다가 벽을 머리로 쿵 들이받았어. 그런 생각을 왜 했는지 내가 미쳤나 봐. 그래서 코피가 터졌어. 믿어지니? 그걸 다리우스랑 피트로가 봤지 뭐야. 걔들은 왜 꼭 내 흑역사에 끼어 있는지. 내가 코피 흘리고 있는데 다리우스가 오더니 괜찮냐고 물었어. 내가 멀쩡히 걸어가다가 갑자기 벽으로 걸어가기 시작해서 놀랐다고 그러더라고. 아프냐고 묻고, 코 막을 휴지도 줬어. 내가 인간은 가끔 걸어가면서 잠들 때가 있다고 거짓말했어. 그 말을 믿었을까? 다리우스는 믿어도 피트로는 안 믿었을 것 같아. 소문만 내지 말았으면 좋겠는데. 지금은 쪽팔리고 벽에 부딪혀서 머리도 아프고 상태 최악인 것 같아.

경진대회에서 상 타서 기분 좋았다가 코피 쏟아서 다시 슬퍼진 김서연이 보냄.

열 번째 편지

수빈에게.

몸살 때문에 컨디션이 좋지 않아. 너무 무리했나 싶어. 아니면 시험 걱정 때문에 스트레스를 받아서 그럴지도 몰라. 공부할 건 많은데 몸이 아프니까 걱정이 이만저만이 아니야. 나 말고도 아픈 아이들이 많아. 다들 시험 때문에 스트레스를 많이 받으니까. 스터디 아이들은 더 그렇고. 다들 신경이 날카로워.

오늘은 학교에서 이런 이불킥이 있었어. 교실에서 블레싱이 내 뒤에 앉았는데 쉬는 시간에 이런저런 말을 하다가 뒤로 돌아선 채로 엎드려서 잠이 들었어. 블레싱은 다음 수업에서 다른 반으로 이동하고 나는 이동 안 하는 수업이었거든. 블레싱이 나가면서 나를 깨운 것 같은데 내가 너무 피곤하고 몸살 기운도 있어서 못 일어난 거야. 수업 시작 후에도 뒤돌아 엎드린 채로 잠들어 있었어. 마법사님이 들어와서 수업 시작했을 때 일어나긴 했는데, 내가 잠결에 여전히 뒤돌아본 채로 앉아서 책을 펼치고 있었던 거야.

마법사님이 나보고 "서연아, 앞을 봐야지."라고 했을 때야 내가 뒤를 보고 있는 것을 알고 몸을 돌려서 제대로 앉긴 했는데, 거기서 또 바보짓을 했어. 뒷자리에 블레싱이 없는 걸 보고 내가 이동 수업인데 잠든 줄 알고 책을 챙겨서 허둥지둥 교실을 나온 거야. 복도를 걸어가면서 잠이 깨고 정신이 드니까 나는 이동 수업이 아닌 줄 깨달은 거지. 그래서 다시 교실에 들어와서 앉았어.

마법사님은 아무 말 안 하시더라. 정말 쪽팔린데 몸이 아프니까 쪽팔린지 아닌지도 잘 모르겠어.

요즘 주변 아이들과 장래희망에 대해 말을 많이 해. 그게 면접에도 나오는 질문이거든. 블레싱은 모험가가 되고 싶은데 집에서 반대가 심해서 못할 것 같대. 모험가는 보물 찾아다니는 직업이야. 그게 직업이래. 신기하지 않니? 블레싱 부모님은 블레싱이 가족이 운영하는 주점을 물려받았으면 한대. 마계에서는 요정들이 음식점이나 주점이나 숙소를 많이 하거든. 다리우스 첫째 누나도 모험가래. 스터디에서 장래희망 말하다가 들었어. 악마가 빼어간 보물을 찾아서 돌려주면서 수수료 받고, 자기가 가질 때도 있고, 값나가는 문화재는 나라에 팔기도 한대. 첫째 누나가 공부는 제일 잘했는데 모험가 한다고 해서 부모님이 실망하셨데, 그래서 다리우스는 궁정 마법사가 될 거래. 궁정 마법사는 마법사가 될 수 있는 최고 위치야. 나도 되고 싶긴 해. 하지만 궁정 마법사보다는 일단 대학부터 들어가야지.

마젠타는 원래 꿈이 소환사였는데, 부모님이 보석 세공점을 차려준다고 해서 그거 하기로 했대. 부모님이 가게 차려준다니 대단한 것 같아. 드워프는 보석이나 무기 상점 주인이 흔한 직업이긴 한데 놀랐어. 반 아이 중에는 집사가 되고 싶다는 아이도 있고, 힐러나 음유시인이 꿈인 아이도 있어. 그런데 제일 인기 있는 직업은 건축가야. 요즘 마계에서 건물을 많이 짓고 있어서 그렇대.

피트로는 마법 원리를 연구해서 세상에 마법이 존재하는 이유를 밝혀내고 싶대. 어려운 문제라서 아무나 도전 못 하는데 다크엘프는 오래 사니까 도전할 만 하다나. 엘프나 드래곤은 오래 사니까 마족이 못 하는 어려운 마법을 연구하기도 해. 스터디의 다른 아이들은 현자나 연금술사가 되겠다고 대답했어. 나는 첫 인간계 출신 마법사가 돼서 학교나 기업에 소속돼서 마법을 연구하면서 지내고 싶다고 했어. 하지만 정말 어렵지. 마계 대학에 가야 하고 그러려면 추천서를 받아야 하고 그러려면 기말에서 성적을 만회해야 하고, 하지만 나는 몸이 아프고… 어쩌면 좋으려나. 기말시험 잘 볼 수 있을까? 나도 그렇고 다른 아이들도 다 잘 봐야 할 텐데. 우리 모두 꿈이 있고 열심히 노력했으니까.

몸도 안 좋은데 또 쪽팔린 일은 저지르고 무척 우울한 김서연이 보냄.

열한 번째 편지

수빈에게.

기말고사 점수가 나왔어. 잘 나오긴 했는데 5등 안에는 못 들었어. 7등이야. 블레싱도 스터디 친구들도 14등에서 7등으로 올랐다고 정말 대단하다고 칭찬해줬어. 하지만 5등 안에는 못 들었잖아. 그래서 추천서는 못 받을 줄 알았어.

어떡하면 좋을지 고민하는데, 필리스 마법사님이 내가 경진대회에 제출한 편지함을 받으러 오라고 해서 마법사님 사무실로 갔어. 그런데 사무실에 다리우스가 와 있더라. 왜 와 있나 했어. 그때 필리스 마법사님이 하시는 말씀이 우리 둘이 대마왕 추천서를 받는다는 거야!

너무 좋아서 그 자리에서 울 뻔했어. 하지만 왜 내가 받게 됐는지 이유를 들으려고 참고 기다렸지. 다리우스는 중간, 기말시험 두 번 다 1등 했고, 마계 대학에 가고 싶다고 해서 추천서가 결정됐대. 다른 공부 잘하는 학생 중에는 마계 대학 안 가는 아이도 있고 마법사를 지원하지 않는 아이도 있어서 보류됐고, 나는 마법사가 되려는 강력한 의지가 있고 상을 받은 편지함이 반응이 정말 좋아서 추천서가 나온대. 편지함을 좋아한 마족 중에는 대마왕도 있었대. 그건 몰랐거든.

"편지함이 그렇게 대단해요?"

나는 진지하게 물었는데 마법사님이 갑자기 막 웃더라. 내가 흥분해서 목소리가 너무 컸나 봐. 마법사님이 편지함에 쓴 마법 주문이 흠잡을 데 없이 깔끔하고 고등학생이 아니라 대학생 수준으로 잘 만든 주문이라고 칭찬하셨어. 다리우스도 마법 주문이 창의적이었다고, 발명품을 보고 정말 놀랐다고 칭찬하더라고. 나는 좋게 봐주셔서 감사하고 추천서 받아서 기쁘다고 말하다가 왜 편지함을 만들었는지 막 횡설수설 떠들었어. 내가 왜 그랬는지 모르겠어. 너무 흥분해서 그랬나 봐.

친구한테 편지를 자주 보내는데, 뭘 썼는지 기억이 안 나서 저장해두는 방법을 고민하다가 인간계에 복사기를 떠올리고 아이디어를 얻었다고 했어. 복사기가 뭐냐고 마법사님이 물어서 종이를 넣으면 똑같이 만들어내는 기계라고 하니까 다리우스가 과학은 참 신기하다고 하더라. 몸에 망토 두르고 있는 악마가 그렇게 말하니까 좀 웃겼어. 종이에서 이미지를 읽어내는 마법 주문은 학교에서 가르쳐준 적도 없는데 어떻게 알았냐고 해서 도서관에서 책을 읽었다고 했지. 마법사님이 나보고 성실하다고 계속 칭찬하셔서 놀랐어. 칭찬을 많이 하시는 분이 아니거든. 다리우스도 멋진 발명품이라면서 활용 방법이 무궁무진하다고, 당장 집에서도 쓸 수 있고 기관에서 공문서 보관할 때 쓸 수도 있고 대단하다고 말하더라.

그런데 그다음에 상상도 못 한 이불킥이 있었어.

"편지함에 사용한 주문을 분석하다가 네가 넣었던 편지도 보게 됐단다. 그래서 읽었는데……."

너한테 보낸 편지를 편지함에서 읽으신 거야. 진짜 쪽팔려서 기절할 뻔했어. 분명 편지는 지워서 출품했는데, 마법사님이라면 당연히 편지를 다시 살리는 정도의 마법은 어렵지 않았겠지. 편지함을 아예 새로 만들어서 냈어야 했는데. 만들 시간이 없어서 그랬거든… 그 편지를 마법사님이 읽으셨어. 그것도 첫 편지를. 내가 다리우스한테 나이 들어 보여서 선생님인 줄 알았다고 한 일 기억나? 그 편지 말하면서 마법사님이 막 웃고 다리우스도 그때 일 떠올리면서 막 웃는데 나는 쥐구멍이라도 있으면 들어가고 싶었어. 하지만 그게 끝이 아니었어.

"두 번째 편지도 읽었는데……."

내가 배 아파서 지각했다고 거짓말했다가 변비 걸린 일 말이야. 그 편지도 읽으셨어. 거짓말해서 정말 죄송하다고 열 번도 더 말하면서 제발 나머지 편지들은 읽지 말아 달라고 거의 울면서 부탁했어. 마법사님도 알았다고 편지 두 장만 읽었다면서 편지함을 돌려주셨어. 네 생각엔 어때? 말씀대로 두 장만 읽으셨을까? 아니면 다 읽으셨을까? 어쨌든 내 사생활이니 마법사님이 안 읽으셨을 것 같다가도, 나라면 편지가 너무 웃겨서 나머지도 읽고 싶었을 것 같단 말이지. 정말 쪽팔려서 미치겠어.

마법사님이 나보고 2학기 시험 준비 잘하라고 하셨어. 추천서 있다고 다 대학에 붙지 않고, 특히 나는 2학기 성적이 중요하니까 열심히 하라고 하셨어. 다른 아이들은 나만큼 2학기 성적이 중요하지 않아서 열심히 안 하니까 성적 올리기 쉬울 거라고 꼭 올리라고 하셔서 알았다고 대답했지. 다리우스는 좀 더 면담하고 나는 먼저 나왔어.

너무 기뻐서 복도에서 편지함을 들고서 춤을 췄어. 소리는 안 내고 몸만 흔들면서 만세 부르면서 춤을 췄어. 너무 기분 좋았거든. 너 같으면 안 그러겠니? 그런데 사무실에서 바로 다리우스가 나오다가 나랑 딱 마주친 거야. 다리우스랑 눈이 마주치는 순간 나는 그대로 굳고 다리우스는 웃음을 못 참는 얼굴로 굳어 있다가 이렇게 말했어.

"나도 춤추고 싶어!"

다리우스도 추천서 받아서 정말 기분 좋다고, 그래서 둘이 같이 춤을 췄어. 신나게 추다가 내가 다리우스 망토를 밟고 미끄러져서 나는 넘어질 뻔하고 다리우스는 망토 끈에 목이 졸릴 뻔한 일은 있었지만, 이건 뭐 실수도 아니지.

너무 기뻐서 둘이 점심시간에 점심도 같이 먹었어. 여름방학에도 스터디 계속할 거냐고 물어서 그러겠다고 했더니 다리우스가 무척 좋아했어. 나처럼 성실하게 공부하는 아이는 없다고 그러더라. 한 번도 안 빠지고 나온 아이가 나밖에 없다는데, 전에는 몰랐는데 듣고 나서 생각하니 정말 그랬어. 다리우스도 안 빠지긴 했지만. 그리고 한참 이야기하다가 나한테 혹시 사귀는 아이 있냐고 물어서 정신이 번쩍 들었어. 없다고 대답하니까, 그러면 나중에 스터디 말고 따로 만날 수 있냐고, 편지함에 쓴 주문 설명해달라고 해서 얼떨결에 그러자고 했는데, 지금 생각하니까 내가 잘한 건가 싶어. 블레싱 말로는 사귀자는 뜻이라고 마음의 준비를 하라는데, 마음의 준비를 해야 하나?

마족도 아니고 악마족과 연애라니 이게 정말인가 싶은데, 블레싱도 그래서 다리우스가 쉽게 말을 못 꺼냈을 거라고 하더라. 이전부터 나한테 관심이 있었지만 말을 못 꺼내다가 이번 기회에 말했을 거라고. 블레싱이 피트로 때문에 삼각관계 얽힐 때는 짜증 났는데 이렇게 상담할 때는 또 멋있어 보였어. 다리우스랑 사귀어야 할까? 스터디에 집중할 수 있을까? 여름방학에 둘 다 집으로 가니까 많이는 못 만날 텐데. 블레싱은 둘이서 열심히 공부하면 되지 않냐는데 그거야 정말 이상적인 상황이고… 요정족 성격이 낙천적이어서 연애도 간단하게 생각하는 것 같아.

곧 여름방학이니까 당분간은 편지 안 써도 되겠구나. 이미 편지로 할 말은 다 했지만 못했던 이야기는 만나서 하자.

주말이면 볼 수 있겠지? 네가 바쁘려나? 아무튼 집에 가면 연락할게.

전교에서 제일 잘생긴 악마하고 사귀어야 하나 말아야 하나 김칫국 마시고 있는 김서연이.